Lya Luft | *Mar de dentro*

Lya Luft | *Mar de dentro*

3ª edição

EDITORA RECORD
RIO DE JANEIRO • SÃO PAULO
2004

CIP-Brasil. Catalogação-na-fonte
Sindicato Nacional dos Editores de Livros, RJ.

Luft, Lya, 1938-
L975m Mar de dentro / Lya Luft. — 3. ed. — Rio de Janeiro: Record, 2004.

ISBN 85-01-06603-6

1. Luft, Lya, 1838- . 2. Escritoras brasileiras — Biografia.. I. Título.

03-1455 CDD 869.98
CDU 821.134.3(81)-94

Projeto de capa: Evelyn Grumach
Preparação da capa: Tatiana Podlubny
Projeto gráfico: Evelyn Grumach e Carolina Ferman
Ilustração de capa: Pintura de Lena Bergstein

DISTRIBUIDORA RECORD DE SERVIÇOS DE IMPRENSA S.A.
Rua Argentina 171 • 20921-380 • Rio de Janeiro, RJ • Tel.: 2585-2000

Impresso no Brasil

PEDIDOS PELO REEMBOLSO POSTAL
Caixa Postal 23.052
Rio de Janeiro, RJ — 20922-970

À memória de Celso Pedro,
que gostava dessas histórias
—e dessas meninas—
em mim.

Aqui não se fazem memórias: aqui se trama a arte. Esta não é apenas a minha voz, mas a de muitas águas. Aqui não se organiza simplesmente um livro: aqui se fala de encantamentos.
Quem não os aprecia, não deve me ler.

Sumário

1 | *A casa no mar*

Era uma vez um corredor de amores,
e uma casa ancorada no tempo da vida
para não naufragar.

Era uma vez viagens e descobrimentos.
Era uma vez uma infância dourada
e um quebra-cabeças difícil de armar.

Era uma vez — e ainda respira em mim
como um cavalo alado
— aquele mar.

Sinto-me um pouco intrusa vasculhando minha infância. Não quero perturbar aquela menina no seu ofício de sonhar. Não a quero sobressaltar quando se abre para o mundo que tão intensamente adivinha, nem interromper sua risada quando acha graça de algo que ninguém mais percebeu.

Tento remontá-la aqui num quebra-cabeças que vai formar um retrato — o meu retrato? Certamente faltarão algumas peças. Mas, falhada e fragmentária, esta sou eu, e me reconheço assim em toda a minha incompletude.

Algumas destas narrações já publiquei. São meu rebanho, e posso chamá-las de volta quando quiser. Muitas eu mesma vi e vivi; outras apanhei soltas no ar, pois sempre há quem se exponha a uma criança que finge não escutar nem enxergar muita coisa da sua vida ao rés-do-chão.

Aqui onde estou — diante deste computador, nesta altura e deste ângulo —, afinal compreendo que não são as palavras que produzem o mundo, pois este nem ao menos cabe dentro delas. Assim aquela menina dançando no pátio na chuva não cabia no seu protegido cotidiano: procurava sempre o susto que viria além.

Então enfiava-se atrás dos biombos da imaginação, colocava máscaras e espiava o belo e o intrigante, que levaria o resto de sua vida tentando descrever.

•

Eu quis escrever livros desde que me lembro de mim.

Antes de aprender a ler, quando me contavam histórias — e em minha casa contavam-se muitas —, achei que aquele haveria de ser o melhor dos brinquedos. Era o jogo que eu queria jogar quando fosse adulta: inventar gente (na minha invenção eram todos minúsculos, eu é que mandaria neles) e brincar com palavras, sua música vibrando em meu pensamento ou pronunciadas em voz alta quando achava que ninguém podia ouvir.

— Está de novo falando sozinha, filha?

— Não, mãe, eu estava só cantando.

•

Este não é um livro para crianças, mas a respeito de uma.

Ou de várias: a que fui, a que os outros viam e pensavam conhecer, e as tantas que se desdobravam dentro de mim — harmoniosas ou antagônicas —, além de algumas que ainda não sei quem são, mas existem.

Visões, vislumbres como os que aqui relato podem parecer impossíveis quando se esqueceu a própria infância. Mas quem recorda como pensava o mundo antes de o convencerem de que dois mais dois são sempre quatro — este pode vir comigo.

Seremos como a menininha que brinca no tapete ao meu lado enquanto escrevo. Na sua dimensão de magia ela fala com bonecos, constrói castelos, ou se perde na contemplação do que ninguém mais enxerga — porém real como esta casa e este computador.

Há pouco veio me contar, com olhos radiantes, que tinham apanhado para ela um passarinho que entrara na sala. Depois de algum tempo, voltou dizendo que estava morto.

— Morreu — ela diz com os olhos inocentes de quem ainda não sabe o que é perda e separação. — E a gente plantou ele na terra!

Me olha, cheia de expectativa. Digo "que lindo! " e por um momento sou essa criança também.

Depois, lado a lado, nos entregamos cada uma à sua ocupação. Porém, cúmplices silenciosas, não temos nenhuma dúvida: no jardim vai nascer uma árvore de passarinhos. E quando soprar um vento forte, sairão voando para todos os lados sobre os telhados, as árvores e as nuvens.

2 | *O mar respira*

Aquela criança são muitas:
são mulheres, são pássaros
(são bruxas),
foram galhos da mesma raiz
da minha história.

Com seu olhar de retrato
e as roupas de criança,
trançando passado e futuro,
desenharam o jardim
das improváveis memórias.

A casa onde eu nasci, embora já não seja minha, permanece intacta em mim como a escultura de uma caravela em uma garrafa: uma casa dentro da memória.

Nunca mais foi como aquele o cheiro de lençóis limpos nem o aroma das comidas, a música das vozes amadas e o crepitar das lareiras, nunca mais a mesma sensação de acolhimento, nunca mais pertencer a nada com tamanha certeza.

Delícia de tatear os objetos conhecidos e os espaços entre eles com olhos, lábios, dedos, com a alma: tudo entreaberto, quase meu, quase revelado em mim. O que faltava decifrar era o meu par de asas, pois eu voava.

Adormecer ancorada na ordem da vida confirmada pelos cuidados da mãe, os passos do pai e os contornos do quarto onde o familiar apaziguava tudo. Mas às vezes o sono tardava, e o tempo da insônia era como atravessar a precária ponte entre o vazio e as coisas reasseguradas, sem saber se aquele anjo da guarda de belos olhos no quadro sobre minha cama conseguiria me proteger.

Não tenho nostalgia dessa fase, pois ela faz parte de mim. Está aqui à mão, para ser lembrada, nítida ou fugidia — sempre intensa. A vida era uma casa ordenada, a casa uma concha amorosa na calma cidade entre morros azuis, a vida era a família protetora com seu fluxo de laços reproduzindo um perfil, um gesto, a cor de uns olhos, rostos de tantas idades — e eu pertencia a tudo aquilo também.

Mas aquela criança era habitada por um animal que batia os cascos impacientes querendo rebentar o cotidiano, e levantava vôo na hora em que uma boa menina devia estar fazendo suas lições ou dormindo tranqüilamente em seu quartinho, segura dos seus amores.

— O que é que tem ali?

— Não tem nada, é só um arbusto.

— Mas eu vi uma sombra se mexendo.

— É o vento nas folhas, não é nada.

— E se for uma fada?

— Não é fada.

— E se for uma bruxa?

— Não é uma bruxa, fica quietinha agora, ou vai pra cama já.

— Seria tão bom se aparecesse uma fada aqui pra gente, não é, mãe?

— Seria. Agora sossega.

•

O pensamento se desenrola como um tapete para trás no tempo: retorno às primeiras sensações, primeiros anos, primeiros contatos. Qual a mais remota lembrança?

Vendo alguns retratos de quando eu era bebê no colo de pai ou mãe, penso lembrar cheiros, o contato da pele, a força dos braços. Mas pode ser ilusão. Talvez a memória mais antiga seja aquela, aos dois anos, pouco mais. Calor, verão, só de calçãozinho curto. Deitada no assoalho de tábuas claras enceradas.

Frescor de madeira contra pernas e peito. Espio embaixo de um móvel.

Sempre aquela tentação de procurar o escondido. O desejo da surpresa e o desinteresse pelo evidente demais.

Poeira e sombra. Movimento rápido, vento num rolo de poeira e fios. Vou descobrir, vou entender, vou tocar aquilo que se move e ali me chama. Algo cintila no escuro: um caco de vidro, um tesouro... um olho me espiando? Eu sei, tenho certeza de que não é apenas um novelo de poeira e fios: está vivo e será meu.

Mas quando o estou quase alcançando chegam os passos rápidos da mãe onipresente, e o encanto se desfaz:

— Levanta daí, vai se sujar de novo, você acabou de tomar banho!

Eu queria a mãe sempre por perto com seu rosto e sua atenção, mas também queria que me deixasse fazer em paz as minhas coisas. E eu estava sempre tentando, havia sempre uma surpresa à espera como um pacote num papel especial: vem, vem, vem me desembrulhar.

Às vezes sou dócil e atendo à ordem da mãe. Muitas vezes resisto, grito e esperneio, eu quero, eu quero! Eu quero ficar assim, quieta, quase alcançando...

Para aquela menina, nada seria apenas sujeira embaixo de um móvel, mas um aceno, uma presença e uma voz.

•

Dia de tirar retrato. Tenho uns 3 anos, como a criança que há pouco plantou a árvore de passarinhos no meu jardim. Minha mãe fez o vestido de seda, a avó a gola de renda, no cabelo botaram a fita de cetim, tudo azul-claro. Sapato preto de fivela, novinho. Levam junto um livro de figuras, com medo de que eu não fique quieta tempo suficiente.

A foto está aqui sobre minha escrivaninha. Por alguma razão o fotógrafo mudou a cor da roupa, fita e vestido são cor-de-rosa. Mas é meu o rosto, e a mirada azul que encara o fotógrafo — enxerga todas as pessoas futuras, incluindo eu agora — na expectativa do passarinho que sairá do olho da máquina.

Lembro a caminhada pela mão da mãe, o cheiro da casa baixa e escura com longo corredor, lembro os móveis da sala, o aparelho de tirar retrato coberto com um pano preto como se ali se ocultasse algo trevoso... um divã com manta de veludo vermelho-escuro, plantas artificiais em vasos, falsas palmeirinhas, biombos com cenários pintados: árvores, um riachinho.

Nada era real — portanto era tudo possível.

Lembro o livro de figuras aberto no meu colo: os amigos que eram o gato, o burro, o cabrito e o galo, que séculos depois fui encontrar em bronze na cidade onde se originou a sua história, em outro continente.

Às vezes contemplo essa fotografia e interrogo seu rosto iluminado. Se ela está escrevendo comigo estas páginas, eu a quero compreender. Sorri para mim, olhos confiantes muito abertos. Mas quando penso que a alcancei, ela vira o rosto para o outro lado e foge sem ter me dado todas as respostas.

Somos, ela e eu, a mesma alma em duas.

Uma, menina assustada com medo do escuro, quer a segurança do concreto onde se abriga. Outra, namorando o avesso de tudo, explode os limites da vida bem ordenada, não aceita as regras nem acredita nas explicações — e corre descalça na chuva, rindo pela pura alegria de transgredir.

•

A palavra saboreada a sós: nem com a pessoa mais amada conseguirá partilhar inteiramente essa sensualidade da alma, essa beleza que a invade ao mastigar no secreto de sua boca a palavra "açucena", numa história que alguém lia em voz alta para ela.

Correu para a mãe e disse:

— Mãe, eu queria tanto me chamar Açucena!

Os adultos puseram-se a rir, mas dessa vez ela nem se importou, e continuou pelo tempo afora nesse amoroso jogo com palavras, frases, poemas inteiros, com imagens e invenções.

Diante da janela de meu quarto de criança, uma magnólia — a flor e seu nome subindo iguais em uma ogiva elegante. Da última vez em que passei por lá continuava de pé, intrépida velha árvore agora. Numa manhã de inverno abria-se a veneziana, e durante a noite tinha desabrochado, como num candelabro, a serena escultura daquelas flores.

Uma árvore sem folhas para mover no vento, apenas as pétalas de cera abrindo-se especialmente para soprar até mim seu perfume.

E eu também quis me chamar Magnólia.

•

Menina à beira da tarde, à margem do silêncio, no terraço que podia também ser um penhasco sobre o mar. O arvoredo-mar rosnarosna. Os talos de capim roçam uns nos outros com um ciciar de espumas.

Aqui e ali rebrilham flores, ou são estrelas-do-mar?

A voz dos sapos fazendo renda para o casamento, o clique-clique da tesoura de podar que também corta a língua das crianças mentirosas, a água da torneira no tanque, os passos na escada, o marulho das ramagens ou das algas — tudo infinitamente o mesmo mar. O mar de dentro, de onde ela nasceria a cada momento, intensamente.

A tempestade é um animal empurrando aquele silêncio à sua frente, atrás, na cauda, escutam-se pedregulhos arrastados. Árvores e capim ondulam, o rugido baixo é intercalado de frações em que o bicho marinho respira e suspira: aaaahhhhhhhhhhhhhhhh fffffffffffffff aaaahhhhhhhhhhhhh ffffffffffff......

A criança na margem ou no terraço sente o que está vindo por cima das árvores e das águas, no calafrio do iminente e do quase: Vem, vem, vem, vem, o monstro vem e se chama tempestade. Raspa no céu os cascos gigantes e logo vai derrubar tudo à sua passagem, com estrondo.

Um fio apenas separa o agora da catástrofe: lâmina de silêncio tão precisa que entra no corpo e fura a alma de uma menina paralisada de beleza e medo. Ela fecha os olhos e inspira aquele odor — de maresia e de terra molhada —, ah, engolir tudo aquilo e fazê-lo seu. E *ser* tudo isso, sem limites nem restrições.

Silêncio de se ouvirem as agulhas dos bordados das mulheres dentro de casa.

Então tudo desaba.

O céu se fende, o mar se alteia, as corcovas de água fazem ondular as ramagens. Sensação como de acordar de madrugada sem medo, e ninguém na rua nem na casa: só ela, sozinha — rara felicidade da autonomia sem receio de isolamento ou separação.

Tudo oscila sob uma trovoada mais forte, a bola de madeira que São Pedro lança para derrubar estrelas de vidro. Aqui e ali alguém arrasta no céu poltronas eternas; os passos do Velho golpeiam as nuvens.

A esfera de trovões com dois orifícios para seus dedos nodosos rola bamboleando pela pista: estouro, lampejos; raios, um crescendo de roncos e tremores. São Pedro contrariado resmunga e pigarreia, clarões da sua ira nos cantos do céu.

Por fim tudo se fragmenta em mil cristais, desce retinindo sobre o jardim, gotas isoladas nas folhas e nas lajes. E a chuvarada vem lavar o mundo.

De dentro da casa flutua a voz de minha mãe:

— Entra, não está vendo que vai chover? Um raio vai te atingir, entra!

Fingindo não ter ouvido, eu sabia que agora ela dizia a uma das empregadas:

— Essa criança está sempre no mundo da lua.

•

Nas noites de inverno o frio silenciava tudo lá fora, e meu pai acendia a lareira do seu escritório onde quando não recebia mais clientes a família começava a se reunir.

Nós, crianças, tomávamos banho aos pulos sob o chuveiro precário, um aquecedor aceso no canto do banheiro, e enrolados em grandes toalhas corríamos ou éramos trazidos nos braços para diante do fogo.

As toras de lenha chiavam e perfumavam, alguém me secava depressa, me vestia com um pijaminha, meias, manta por cima, e eu ficava encolhida e feliz na certeza do concreto paraíso.

Certa vez perguntei se naqueles furos nos pedaços de lenha empilhados no cesto podiam morar anõezinhos, como aqueles dos livros de história. Claro que podiam, foi a resposta — e foi como um carvão em brasa no peito de uma criança de pijama na frente da lareira aos pés de seus pais.

De repente, um chiado no meio do fogo, e do furo de um pedaço de árvore saiu uma espumarada de resina aromática — apenas natural.

Mas para mim poucas coisas eram naturais.

Não consegui nem articular palavras: esperneei, chorei, estendia a mão para o fogo, e só depois de me acalmarem com colo e braços fortes e um pouco d'água, finalmente entre soluços expliquei que ali acabavam de assar vivo um dos meus anõezinhos amigos.

Assim, às vezes nas horas mais felizes eu me desorientava: tudo o que parecia simples podia ser também estranho, e não conseguiam sempre aplacar minha ansiedade.

Então, como aquele meu anão de fantasia, tudo o que eu amava era precário e podia terminar?

Como é que nada podia ser meu para sempre, e sempre igual?

Era possível que meu amor não o pudesse preservar e proteger?

Eu não sabia ainda o que na madureza aprenderia: que todas as coisas quando acabam são substituídas por outras; que a vida não se reduz mas cresce, e é em tudo um milagre.

•

A mãe se inclina, toca meu ombro, pergunta em voz baixa como se adivinhasse que poderia quebrar um sortilégio:

— O que você está fazendo de novo aí quieta, olho arregalado?

— Ali em cima, mãe, escuta... escuta...

Ela também escutou, afagou minha cabeça e disse:

— *Waldrausch.*

Eu sabia: era o rumor da floresta... vozerio de muitas ramagens brincando falando resmungando por cima de mim.

Nunca esqueci esse momento, essa palavra, esse som de árvore e mar.

Sempre que venta, para mim é outra vez *Waldrausch*, voz da floresta. E assim o tempo — que não existe porque é fluxo —, me devolve sem dificuldade isso que tento fixar neste livro, que não é romance nem biografia, mas significado e ressonância:

Waldrausch.

Sem querer e talvez sem compreender, minha mãe estabelecia um marco determinante de meu futuro, dava-me um precioso impulso que prosseguiria através dos anos, das alegrias, de todas as sombras, em direção da beleza.

Nesse instante eu começava a escrever no ar o meu primeiro livro.

•

— Mãe, como é que se uma pessoa abre a boca e fala a outra sabe o que isso quer dizer, mesa, cadeira, nuvem?

— Sei lá, é assim e pronto.

— Mas e se de repente a gente entendesse tudo trocado, entendesse cachorro quando alguém quer dizer pessoa, agulha quando o outro quer dizer sofá, e sentasse na agulha?

A menina acha uma graça infinita dessa idéia.

A mãe olha espantada, que criança é a sua, com aquelas idéias?

— Mas mãe, como é que você não sabe explicar?

— Ah, isso eu não entendo, fala com seu pai.

— Pai, o que é isso que dentro da minha cabeça não pára nunca?

— Chama-se pensamento, é como uma maquininha atrás da testa fabricando as palavras: nuvem, cadeira, mãe.

Então por um tempo imaginei que eram as palavras que produziam as coisas. Palavras tomavam a palavra e tinham voz, falavam acenando com franjas e beiradas de segredos para quem soubesse escutar.

Tudo existiria primeiro dentro de cada um, antes de se montar externamente com objetos, paisagens, cores e cheiros. Árvore existe porque alguém disse "árvore"?

Algo desde esse instante me pareceu mudado: as pessoas à minha volta tinham rodando atrás de suas testas as mesmas engrenagens de palavras-pensamentos que eu. E — como eu — guardavam em si idéias jamais pronunciadas.

Foi uma das primeiras noções que tive do secreto e do sagrado de tudo que parecia tão simples ali próximo de mim. E do espaço de silêncio intransponível mesmo nos mais íntimos amores.

•

Quando eu estava mais agitada ou talvez desobediente demais, e minha mãe já não sabia o que fazer — ou simplesmente quando queriam me agradar —, botavam-me na biblioteca depois que meu pai fechara seu expediente ou era fim de semana. Sentavam-me numa daquelas poltronas de couro que me pareciam imensas, e meu pai colocava sobre meu colo (minhas pernas balançavam muito acima do assoalho) algum volume da grande enciclopédia alemã que ainda está comigo, e às vezes manuseio para fazer alguma pesquisa — ou simplesmente para sentir aquele prazer.

O cheiro é o mesmo: de velhice e de infância, de nascimento e morte, de revelação. Cada página com figuras — bichos, pássaros, borboletas, de cores esmaecidas — era protegida por uma folha de papel de seda amarela.

Eu contemplava — e tocava — cada uma dessas páginas como se fosse um mistério. Entrava nos livros como em salas cheias de objetos mágicos. Sentia com as pontas dos dedos cautelosos a penugem dos pássaros, escutava seu canto, o desenho daquelas borboletas roçava meu rosto, pinturas egípcias de perfil ingênuo e olhar rasgado desfilavam, fotografias de máquinas e montanhas e, principalmente, palavras e seus espaços de fantasia sem limites para quem ainda não sabia ler.

Se tinha tempo, meu pai sentava-se perto de mim e me explicava tudo. Mas também ficava tranqüilo escrevendo ou lendo, sem mostrar nenhuma irritação com a minha presença. Eu não o incomodava. E era a plenitude, estar ali ao lado dele sentindo-me natural e aceita, sossegada num lugar onde haveriam de estar todas as respostas.

Nunca desaprendi a excitação quase amorosa de estar entre livros; mesmo que não haja mais poltronas de couro nem aroma de cigarro, tudo ainda está comigo como uma porta que se abre sobre um corredor infinito para que eu possa entrar com minha babagem de curiosidade.

•

Na biblioteca havia uma lareira grande, no aparador o relógio que meu pai comprara quando estudante e ao qual continuava dando corda noite após noite, antes de dormir.

Eu, já deitada, escutava do outro lado da parede do meu quarto sua mão dar voltas na chave e preparar a engrenagem para marcar mais um ciclo: meu pai determinava que haveria um outro dia depois daquela noite. Apesar dos pesadelos, dos fantasmas que às vezes me assustavam, havia um universo ordenado, de sol e presenças, que o relógio de meu pai traria de volta na outra manhã.

Esse relógio está hoje entre livros numa prateleira da minha sala. Mas depois que ele morreu nunca mais permiti que nem um relógio em casa minha batesse as horas.

Pois a dimensão da vida — e dos amores — não cabe no tempo nosso.

•

Festa daqueles meus primeiros anos era a mãe vir me dar o beijo de boa-noite antes de sair: o vestido de seda farfalhava no corredor, luzia na penumbra, seu perfume a anunciava e continuava rolando pelo quarto mesmo depois que ela se fora.

Às vezes ela me deixava ficar a seu lado enquanto se preparava.

O toucador era despojado e belo: apenas um grande espelho que partia do chão, redondo como um lago, uma lua — ou um olho: presas nesse espelho, estreitas prateleiras de vidro. Na frente, a banqueta onde sentava para se mirar. Ela certamente nem via nem buscava ali fantasmagorias.

Parecia uma dama de livro de histórias prendendo o cabelo no alto, pintando a boca, estreitando os olhos para descobrir alguma ruguinha, colocando atrás de cada orelha uma gota de *Fleurs de Rocaille*. Depois se virava perguntando se estava bem, o olhar feliz já saboreando a resposta. Eu, sentada sobre sua cama, vendo-me atrás dela refletida, sempre respondia a verdade: estava linda.

Nas prateleirinhas suspensas quase invisíveis enfileiravam-se os pós, os cremes, os perfumes — em frascos ou potes parecendo soltos no ar: de vidro fosco ou de translúcido cristal, um deles uma enorme flor verde que guardo ainda. Dali nascia o cheiro de minha mãe, que impregnava tudo dela e quase toda a casa.

Em seu quarto havia também uma porta mágica abrindo para um armário que era um outro aposento, com roupas e objetos dela, tenso de intimidade. O casaco de peles com perfume e um odor áspero, animal. Sapatos de festa, os saltos altos e finos. Vestidos de baile. Nada para crianças. Que sentimento de insuficiência, ser prisioneira da menina que eu era, ansiando pelo que calculava ser a magnífica realidade dos adultos.

O vestido branco bordado de paetês azuis em desenhos intrincados. O de saia longa de veludo preto com cauda, blusa dourada de mangas compridas. O vestido violeta em ondejantes espumas.

E o meu predileto em todos aqueles anos: de um branco perolado, liso, sem mangas, com orquídeas. Pálidas lilases imensas, delicadíssimas em seus tons esfumados, numa seda tão doce ao tato que dava vontade de chorar.

Nada, nunca, nem antes nem depois, me deu a mesma noção do perfeito quanto aquele vestido com suas orquídeas langorosas no escuro do armário.

•

Na cozinha circulavam odores selvagens: os concretos cheiros de comidas, azeite, temperos, gente atarefada. Ferros aquecidos. Aroma de carnes cozendo, de pães assando, odor de presenças domésticas.

Passos decididos, sempre apressados, vozes alegres ou impacientes, as risadas grandes das empregadas, seus cochichos, suas exclamações, suas histórias incompreensíveis de amores, abandonos e traições. Comentários apenas murmurados que eu não entendia — ou relatos apavorantes como a da mulher habitada por um verme enorme.

Quando faziam pão e minha mãe não estava — ou esquecia por instantes sua proibição (criança não tinha de ficar aborrecendo as moças da cozinha) —, me davam um pedacinho de massa com que, parada numa banqueta, eu modelava na mesa figuras, bichos ou bonecos, muitas vezes uma cara parecida com as dos desenhos que me tinham ensinado:

— Veja como a mamãe faz: uma roda grande, o rosto. Aqui um olhinho, ali outro olhinho, orelhas, cabelos, olhaí o menininho.

Eu botava meu boneco para assar na chapa do fogão, mil recomendações:

— Cuidado para não se queimar ou sua mãe fica zangada comigo, cuidado menina, cuidado!

A massa ia tostando, e depois de muito soprar eu comia devagarinho a figura que se desmanchava na boca... não tinha gosto de nada, só de ter feito o proibido.

Eu também formava no quarto bonecos com massinha de brincar ou de vidraceiro, não importava: todos tinham aquele mesmo odor pesado e eram instigantemente quase-humanos. Ninguém acreditou quando falei, mas meus bonecos ganhavam vida quando eu os punha no peitoril da janela, e riam e falavam comigo — ou entre si — com suas bocas de buraquinho ou traço, piscavam seus olhos sem cílios, agitavam bracinhos e pernas, povoavam meu quarto.

Eu não tinha só um amigo de faz-de-conta, mas famílias inteiras que mudavam de tempos em tempos, e moravam numa casa toda feita de conchas na mesa de cabeceira, ou no diminuto chalé de madeira (João e Maria, pai e mãe, a bruxa com um gato), que indicava o tempo. Alguém me disse que conhecia uma casinha feita com dentes-de-leite de crianças, o que me dava um certo arrepio, talvez invenção do tio-avô dentista.

Não importa se tudo era imaginação: fazia parte de mim como as fadas que dormiam nas flores e saíam à noite, ou os gnomos divertidos que concluíam tarefas que os humanos muitas vezes não tinham jeito ou tempo de terminar.

•

Brincar na calçada num fim de tarde de verão, vestido leve, às vezes pés descalços. Jogar bola, correr, brincar de roda.

O ritmo, o riso, os giros e as vozes. Um cálido amor pelas crianças que lhe davam as mãos e a levavam na roda. Fazer parte, pertencer, ser igual...

Mas, sobretudo, para ela, a vibração das palavras mágicas. Ciranda cirandinha: o que era ciranda? Teresinha de Jesus de uma queda foi ao chão... mas só ao terceiro deu a mão. O cavaleiro que acudia seria o príncipe num cavalo dourado?

— Por que ela deu a mão ao terceiro?

— Não sei, não importa, vamos, vamos continuar a roda!

Mas o que teria de especial aquele terceiro, a quem Teresa dera a mão?

Mais roda, alegria de participar, de rir com as outras, de juntar sua voz e entregar-se à sensação de intimidade e confiança.

"Se essa rua se essa rua fosse minha, eu mandava, eu mandava ladrilhar, com pedrinhas de brilhante..."

Ela esquecia a brincadeira, nem notava mais as mãos suadas puxando as suas, vamos, vamos!

Parava sem perceber que estava perturbando a roda, via-se andando numa rua toda calçada de pedrinhas preciosas.

— Anda, pára de sonhar, você está atrapalhando!

Ciranda cirandar... ela saía voando como se o vento nos cabelos a impelisse mais, e mais, e mais, dançando para fora das realidades.

No meio do mais trivial, era como se inesperadamente eu tocasse com os dedos alguma coisa insuspeitada.

Comendo com a família, andando de balanço, catando besouros ou pedrinhas no jardim — súbito via tudo de dentro de uma bolha, transfigurado.

Uma criança contemplando uma mancha na parede, um inseto no capim ou a revelação de uma rosa, não está apenas olhando: ela *está sendo* tudo isso em que se concentra. *Ela é* o besouro, a figura na parede, ela é a flor, o vento, o silêncio.

Uma criança é a sua dimensão, na qual o tempo, os contornos, texturas, aromas e sons são realidade e magia sem distinção.

Isso alguma vez tentei explicar com minhas palavras ainda precárias. Mas ninguém parecia entender — ou não estavam muito interessados. Então armava tudo aquilo em histórias que recitava para mim mesma, como rezas de bruxas.

Mais tarde compreendi que não era porque os outros estivessem desinteressados ou eu não soubesse explicar direito. Era porque pensado e real não se distinguem nem cabem em palavras: rebrilham nas entrelinhas e florescem na intuição.

•

Estou na casa ao lado, com a mocinha que seguidamente cuidava de mim. Meu pai chega de surpresa. Era hora de ele estar no seu escritório, mas vinha quase correndo de tão alegre:

— Vem, filhota, vem ver sua surpresa.

Meu aniversário fora há duas semanas, mas ele me havia dito que havia ainda um presente que estava por vir.

Então me fez andar por tudo na casa. Na cozinha olhei dentro do forno, na sala atrás do sofá. Ele se divertia:

— Procura aqui, ali está frio... ih, muito frio.... agora está mais quente...

O quente mesmo foi o quarto dos pais, persianas fechadas, a mãe deitada como se no meio da tarde decidisse descansar um pouco. No ar um cheiro de remédios, ela estaria doente?

Corri para seus braços, ela parecia cansada mas feliz, e apontou o berço que tinham posto ali há algum tempo mas eu não dera muita atenção. Esquecera uma conversa sobre a cegonha que a qualquer hora talvez voasse por cima da casa e pousasse na janela trazendo no bico, numa cestinha de ouro, o bebê que eu queria tanto.

Estava ali agora o meu presente, e recordo o meu aborrecimento por não ter percebido o revôo da cegonha. Provavelmente, entretida no pátio da casa vizinha, eu não tinha escutado nada.

Cheguei perto do berço, coração aos pulos, seria possível... Era possível: lá estava ele, estava ali, aninhado nos lençóis cheios de fitas e rendas.

Estava lá. Tinha cabelo escuro e chupava o polegar fazendo ruído de animalzinho faminto.

Finalmente eu tinha um bebê. Um irmãozinho vivo, não mera lembrança ou anjo de sepultura, não uma estrela, embora a mãe comentasse várias vezes:

— É igual ao outro, o mesmo cabelo, é como se ele tivesse voltado.

Mas aquele no berço agora era de carne e ternura, era só meu, para amar e cuidar.

•

Naquele tempo eu não acreditava que mãe pudesse sofrer. Em geral não se via, eu não via. Não era realmente dissimulação: era uma dor que ela sabia esconder tão bem que eu esquecia.

Mas ela não esquecia. Mesmo quando ficou muito velhinha e sua mente se desgarrou de nós, de vez em quando mencionava um bebê que havia perdido, que era preciso encontrar ou proteger.

— Cuidado, não sente em cima do meu bebê! — me diria mais de uma vez com sua lucidez enevoada, quando eu a ia visitar.

Talvez fosse aquela dor o que na mocidade às vezes explodia em seus ímpetos de impaciência e um excesso de solicitude. Estava sempre querendo arrumar, organizar, cuidar, numa intensidade que se digladiava tanto com meu desejo de quietude e autonomia.

Às vezes ela comentava: "Hoje seu irmãozinho estaria de aniversário", ou: "Era um bebê tão bonito e gordinho".

E ficávamos as duas caladas, ela com saudade do que se fora, e eu de quem não tinha nem chegado a conhecer, mas me fazia sentir a presença do seu vazio: um espaço inquietante.

Não havia nenhuma foto desse meu irmãozinho nascido e morto antes de eu chegar. Era um personagem vago e terno, que, a avó me disse, morava nas estrelas. Escolhemos uma delas, e lá estava enfim meu irmão, com quem eu dialogava como se me pudesse ouvir.

— Todo mundo vira estrela quando morre, vovó?

— Todo mundo.

Eu imaginava como haveria de me sentir quando estivesse assim longínqua e cintilante, e era tomada de uma antecipada melancolia por pairar tão longe de tudo o que amava. Mas talvez conseguisse ser uma estrela ao lado de meu irmão morto, e falaríamos de astro a astro como de janelas de casas vizinhas, assistindo a tudo lá embaixo.

Dele havia também uma imagem no cemitério, escultura de anjo-criança que minha avó lavava com carinho como se estivesse dando banho num bebê. Ele aceitava tudo indiferente, o olhar parado parecia querer me dizer tantas coisas, mas sua boca era mármore. Era pedra fria sua mãozinha estendida, onde eu enfiava a flor que nunca deixava de levar.

Hoje, lembrando aquele irmão-estrela, me dou conta de que não sei mais qual daquelas no céu era a sua moradia.

•

Estamos ao redor da mesa. A família natural, o de sempre. O olhar do pai, distraído, a mãe solícita, não sei se já havia o irmãozinho. Avô e avó talvez, uns tios.

Então eu tenho esse distanciamento, essa segunda visão que nunca mais me deixaria inteiramente: nós, a família, o grupo de criaturas humanas parecendo grandes sacos de carne revestidos de pele e pano, tufo de pêlos no alto, furinhos de olhos e nariz, e no meio da cara aquele buraquinho abrindo e fechando e abrindo e fechando e emitindo sons... e com eles giravam, revestidos de palavras, os nossos pensamentos.

Paro de comer, vejo como por uma lente ou um caleidoscópio. É muito divertido, e um pouco assustador também: então nós somos assim?

Ainda emitindo sons os embutidos humanos enfiavam naqueles mesmos furinhos garfadas de comida, engoliam, voltavam a falar, sacudindo as cabeças, meneando as mãos para reforçar o esvoaçar continuado das palavras.

Abrir e fechar a boca, barulhinho, som, pensamentos voando de um para outro como borboletas sobre a mesa.

Era divertido, era misterioso, era tão instigante que tentei dividi-lo com outros à mesa e depois, mas me olhavam sacudindo a cabeça:

— Mas que idéia maluca!

Seria peculiar, só meu, a um tempo dom e castigo, esse modo de sentir, o simples sendo complicado, o estranho íntimo, o natural extraordinário, o raro tão natural? Quem sabe os outros apenas não confessavam perceber tudo aquilo, por medo de parecerem esquisitos?

Os adultos não teriam mais familiaridade do que aparentavam com isso que me interessava tanto? Eles não saberiam tudo?

Eu os queria entender, escutar suas conversas, observar o que eram, como gesticulavam, como eram diferentes os homens das mulheres, e o seu universo do meu. Queria ser um deles, e participar.

Aquilo era muito melhor do que a casa de bonecas, o jogo de esconde-esconde, a bola ou a peteca.

— Mãe, por que eu não posso ficar aqui?

— Você vai brincar com as outras crianças.

— Mas eu prometo ficar quieta. Não falo nada, não pergunto nada.

— Aqui não é lugar de criança — respondia minha mãe. — E não discuta. Criança não tem querer.

•

Passeios de carro em quentes noites de luar: eu olhava a lua grande sobre os campos calados. Estaria refletida também nos olhos de centenas e centenas de pessoas em casas, campos, carros nesse vasto mundo. Essa união entre tantos desconhecidos me parecia íntima e consoladora.

Meus pais conversavam ou ficavam naquele silêncio bom que se armava em torno deles como um casulo.

Meu irmão pequeno acabava dormindo aconchegado em mim no banco de trás. A gente também cantava. Muitas vezes eu entoava canções que falavam da lua, o luar branco da minha terra, ou ia simplesmente inventando, criava coragem e desfiava palavras e imagens como faço agora neste computador.

Mas a felicidade maior era que meus pais cantassem, a voz potente dele como vento nas galharias, a de minha mãe como uma água clara em pedrinhas de rio.

Era o instante perfeito.

•

No quadro sobre minha cama, um anjo com cara de menina, grandes asas abertas, braços estendidos para proteger duas crianças que atravessavam uma ponte estreita: podíamos ser meu irmãozinho e eu.

— Todo mundo tem um anjo assim?

— Claro. Cada criança e pessoa grande também.

— E a gente nunca pode ver ele?

— Não, mas está sempre aí do seu lado.

Eu construía o meu como aquele do quadro, rosto suave e feminino, vigiando as duas crianças com olhos bondosos. Ou teria um ar vago demais, um anjo distraído?

Eu falava com ele, pedia que me ajudasse a não ter medo do escuro e a ser mais comportada.

Às vezes, quando cometia de novo alguma falta, me queixava:

— Você também, não me ajuda um pouquinho?

Sempre levei meu anjo da guarda muito a sério.

— Coitado do seu anjo, você deve lhe dar muito trabalho! — disse-me algum adulto naquele tempo, achando graça. Eu também achei, porque não sabia se devia ter mais pena do meu anjo ou de mim.

•

Nossa casa ficava num jardim — que era o meu reino.

Atrás estendia-se um gramado, os canteiros de rosas, o lago com salgueiros, mais além o pomar com uma horta — tudo desembocando num mato escuro de rangidos e cheiros selváticos, onde criança não entrava sozinha. Muito menos esta, para quem um estalo de galho partido podia ser o Unicórnio pateando no escuro, querendo me pegar.

O jardim me fez sentir concretamente que a vida era mais do que isso que se podia ver e tocar: o vento nas árvores, a geada no capim, eram tão vivos quanto as pessoas; vivos como a presença atrás da cortina, o tumulto nos cantos escuros da casa ou do pátio, as risadinhas dos duendes entre as folhas.

Para uma menina, era uma experiência de universo, aquele jardim: mistura, profusão, depois carência e secura, e finalmente no galho nu da magnólia o broto perfeito de onde se abriria aquele cálice de aromas.

Deitada na relva eu escutava cochichos na vegetação — e ainda hoje, embora em lugar de me esparramar na grama fique sentada no banco, eu os consigo ouvir.

Eu tocava uma folha: o que queria me dizer aquela textura, aquela forma, aquela cor?

Pegava o inseto na mão depois soltava na pedra, observava sua minúscula existência atarefada: o que estariam querendo me dizer pássaro, flor, capim, pedra, vento e inesperada calmaria?

Havia em tudo um recado urgente que eu não conseguia decifrar mesmo que me assaltasse com toda a sua evidência.

•

Depois de uma noite gelada, a pomba-rola no chão do pátio, inerte. A criança a pega, acolhe-a debaixo de seu casaco de lã, sopra em seu bico tentando aquecê-la: tão fria. É tão cálida a ternura que sente, de súbito ela é mãe daquela criaturinha que parece dormir.

O pai chega, sem muito indagar percebe tudo.

— Ela está dormindo, pai?

— Não sei, filhinha, acho que não. Pode ter morrido de frio.

Ela não se conforma. O nunca-mais ainda é vago para ela, mas certamente nesse momento é ameaçador. Por algum tempo carrega o bichinho junto do peito, porém o calor é apenas seu, do seu amor, do seu desejo de dar vida.

Finalmente combinam um enterro, a pomba ajeitada entre folhas e pétalas numa caixinha qualquer, ela e o pai a enterram num canteiro.

Mas antes de fechar a tampa da caixa a menina ainda acaricia aquilo que já não voará, e entende, sem palavras entende: o peso dos ossinhos, a maciez das penas, o pobre bico para sempre fechado, não formavam o pássaro.

Faltava-lhe, para ser pássaro, a curva do vôo, a visão do alto, faltava-lhe ser a invenção de um pássaro.

Quem o tinha desinventado, quem o esquecera?

Morrer era ser esquecido por quem? A avó dizia que tudo dependia de Deus, e dele eu tinha um certo medo: vira seus olhos furiosos sobre nuvens escuras num bico-de-pena, numa Bíblia para crianças.

•

Por ali havia sempre um jardineiro cavando, molhando, podando. Eu gostava daquela pessoa tranqüila com cigarro no canto da boca, mãos negras da negra terra, resmungando ou cantarolando como se plantas fossem gente.

Minha mãe vinha com sua tesoura e seu cesto colher flores, rosas com nomes de rainha, alusões de cisnes ou negrumes, de auroras ou estrelas, de veludo e seda chinesa. Rosas rainhas, rosas anjos, rosas cortesãs. Rosas perfeitas, rosas devoradas pelo besouro preto e amarelo. Rosas esculturadas, rosas devastadas.

Eram distribuídas pela casa em vasos de cristal, e de minha mãe ainda hoje vem até mim sua voz clara pronunciando nome de flores, o odor das rosas, a elegância dos vasos, o céu perfeito por cima de tudo aquilo.

No final do caminho de lajes que nossos passos gastaram em muitos anos havia um lago diminuto com uma ilha no centro. Chegava-se nela por uma ponte de madeira, e em certa época havia ali dois veadinhos. Um fugiu pouco depois, o outro não tardou em morrer.

— Morreu de saudade do fugido — dizia o jardineiro.

Eu ficava remoendo aquilo, assombrada.

•

Almoço em família à beira do pequeno lago, sob o telhado redondo de santa-fé. Entre aqueles feixes de palha algo se agitava ao escurecer, diziam que eram passarinhos voltando aos ninhos, ou morcegos que saíam para caçar na noite.

Mas agora é meio-dia, ela está deitada na rede imóvel que ninguém mais se lembra de embalar — seu pé ainda não alcança o chão. Então entrega-se àquela sensação das presenças, do evidente da família, do seguro e certo.

No calor do verão e o dos afetos, ela se deixa ficar — Bela Adormecida no entressono de seu reino perfeito, onde nada nunca mudaria.

Depois está sentada na sua banquetinha, alguém lhe dá um pedaço de carne que ela saboreia, avidamente como sente o calor e o frio, a noite e o dia — como haverá de sentir a vida a cada momento mastigada como uma fruta.

A teia da realidade familiar se desdobra por cima dela sentada sonhando mastigando devagar: mãos passam pratos, copos e talheres retinem, palavras e risadas se entremeiam. Ela dentro daquela redoma, sendo apenas a sua própria infância.

Não participa do universo adulto, que ainda não a interessa tanto nesse tempo. Mas tem seus tesouros, ali quase ao rés-do chão: um besouro preto com brilhos verdes nas costas abauladas passa enérgico entre os dois pés gordinhos da criança.

Ela se inclina, observa, sem pressa — intensamente, como tudo o que faz. Afasta um pouco o pé para que ele siga em busca de seu destino de besouro.

•

Lusco-fusco de fim de dia, um passarinho do tamanho de meu dedo pousou num arbusto quase roçando em mim. Meu coração latejava à flor da pele de tanta excitação: eu ia ter para mim aquele passarinho, o menor de todos, não havia outro igual. Seria só meu, e eu cuidaria dele indefinidamente.

Consegui pegá-lo, rápida mas delicada, não apertar demais nem deixar fugir. Era preciso amar sem esmagar. Triunfante fui mostrá-lo às pessoas da casa. Mas me disseram que não passava de uma borboleta preta e feia, uma mariposa que ia sujar meus dedos com sua poeira — e o tiraram de mim.

Sempre havia por ali animais de estimação, gatos, cachorros. Atrás do pomar, por algum tempo galinhas e o ciclo dos ovos e dos pintos. Coelhos, pássaros. No lago, patos e uma ou duas tartarugas. Os veadinhos tristes.

Certo dia houve uma coruja enorme e branca que chamaram Sebastião. Sebastião me mirava com olhos fatigados. Parecia não achar nenhuma graça de mim, que o contemplava fascinada pois tinham-me dito que à noite quando dormíamos ele velava.

— Mas ele não tem sono?

— Ele dorme de dia.

— E de noite?

— De noite voa, come insetos. E na hora em que todo mundo dorme, esse aí enxerga coisas que até Deus duvida.

Acordada no escuro, eu imaginava a coruja vigiando na treva, sem medo de nada, os grandes olhos revirando-se ao luar, sabendo tudo que ignoravam os pobres humanos adormecidos — ou crianças medrosas como eu.

Mas, ninguém soube explicar como, Sebastião fugiu da sua gaiola: não gostara de mim tanto quanto eu afinal o tinha amado. Como era possível?

E me senti traída.

•

Quase verão: o crepúsculo vermelho eram os fornos do céu onde os anjos preparavam os doces de Natal. E em algum lugar crescia uma árvore miraculosa que logo se multiplicaria em nossas casas.

Nessa véspera ninguém podia entrar na sala, onde lençóis pendurados fechavam como biombos todo um recanto. Na cozinha os biscoitos em forma de estrela com açúcar colorido em cima; adivinhar os presentes escondidos; gente da família chegando.

Vestido novo de organza, sapato de verniz, promessas de me comportar, simsimsimsim... dali em diante eu seria outra.

Prometo, prometo ser boazinha prometo ser obediente prometo prometo não responder pra mãe nem botar a língua nem me esconder na hora de dormir nem nem nem.

Por fim na noite de Natal um anjo dissimulado atrás dos panos alvos tocava sinetas, retiravam-se as cortinas improvisadas, e podia-se contemplar o paraíso.

Lá estava a árvore dos milagres. Nós, em torno, nem éramos pessoas: éramos anjos também.

Inesquecíveis os natais em casa de minha avó materna. A árvore chegava ao teto, pé-direito tão alto como se ali em cima houvesse sempre névoa. Girava solene, numa pinha de ferro sobre uma caixa de música, uns discos de metal com lasquinhas levantadas tocadas por umas agulhas. O som metálico em canções natalinas, o pinheiro enfeitado rodava em câmera lenta, pesado e alado ao mesmo tempo, e nós ali, tomados de beleza.

Depois havia brindes e presentes e os adultos tomavam champanha e alguém tocava piano, todos cantavam, minha avó parecia contente com seu rebanho reunido do jeito que ela gostava.

Mas eu, mais que tios e primos e comidas e embrulhos, via pelos cantos das salas — ou atrás das portas de vidro que abriam para o jardim — solenes anjos com asas de tule, girando numa dança lenta.

Essa árvore todo ano renovada lançou raiz em mim, e às vezes ainda brota nos meus sonhos quando, dormindo, volto àquela mesma casa onde a menina que fui colhe morangos em beiras de caprichados canteiros de flor.

•

A cidade era cercada de morros azuis cobertos de mato habitado por príncipes e princesas e castelos e animais de lenda, o Unicórnio, os cisnes que eram príncipes, os corvos que eram meninos enfeitiçados. Bruxas voavam, anões cavavam em minas de ouro enquanto Branca de Neve mordia a maçã da morte, a princesa beijava o sapo, e João e Maria tinham sido abandonados pelos pais.

— Pai, como é que deixaram os filhinhos no mato escuro só porque não tinham comida?

— Eles não sabiam o que fazer.

— E vocês nos deixariam na floresta se a nossa comida acabasse?

— Claro que não, que pergunta.

— Mas aqueles pais da história deixaram...

Ele afagava minha cabeça, enternecido e divertido:

— Filha, o pai não vai te largar no mato nunca, fica tranqüila.

— Mãe, por que o pai da Branca de Neve casou com uma rainha má que não gostava da filhinha dele?

— Não sei, pára de perguntar bobagem.

•

Um anjo concreto, estático, que eu podia até tocar: no lado protestante do cemitério (pois havia, do outro lado, o dos mortos católicos) estava sentado (ou de pé) à frente do único mausoléu, mansão de pedra entre as sepulturas mais baixas.

Era o guardião daquela casa das almas.

— O que é que ele faz?

— Aponta o caminho do céu para as pessoas boas.

— E as ruins?

— Essas estão perdidas.

Eu fazia o cálculo das minhas desobediências, as mentiras, as raivas secretas: o anjo podia ser benfazejo ou perquiridor demais, não havia sempre um espreitando sobre o ombro da gente, sabendo de tudo?

Perguntei se tinha nome e alguém respondeu que podia ser Gabriel, ou seria Rafael? Para mim, então, ficou sendo O Anjo.

Pela porta de vidro e ferro da casa viam-se paredes internas de mármore branco com gavetinhas fechadas, nomes inscritos em latão lustroso, tudo invadido pela colorida luz que entrava pelos vitrais. Era como uma capela cujos crentes, em lugar de se ajoelharem, repousavam em gavetas. Ocultos de nós, mas extraordinariamente presentes.

Minha avó falava deles como de velhos conhecidos, dava indicações de sua vida, doença, morte: aquele caíra num poço, a outra se enforcara, mas a maioria parecia ter morrido a morte que lhes era devida e natural.

Eram alimento de minhas reflexões assombradas: eram pessoas guardadas pelo Anjo que apontava o céu. Ou ele erguia na mão uma tocha de esperança para iluminar o caminho das almas perdidas, as almas penadas? Estava sentado ou de pé? Num livro eu o descrevi sentado; na realidade, verifiquei mais tarde, estava de pé — ou seria o inverso? Sempre que vou àquela cidade e àquele cemitério confiro e registro — e esqueço outra vez.

Seja como for, me intrigava aquele rapaz de cabelo encaracolado, com uma alusão de seios debaixo das roupas de metal.

Mas ele não era a única coisa interessante no cemitério.

Tinham-me dito que os cabelos dos mortos continuam vivos. Eu escutava — era o vento no capim, era um inseto na hera? — as cabeleiras crescendo mansamente, negras, brancas, douradas cabeleiras como das afogadas de minha fantasia, madeixas saindo pelas frestas dos caixões, enchendo os compartimentos. E quem sabe um dia começariam a emergir das gavetas de mármore daquela casa das almas.

•

Depois do banho e do jantar, e de ainda um pouco me embalar na rede, vinha a hora temida.

— Por que eu tenho de ir para a cama?

— Porque está na hora.

— Que hora?

— Hora de criança dormir. Não começa.

— Posso ficar mais um pouco, só hoje?

— Ontem você já ficou, agora vamos.

Às vezes eu não aceitava e vinha o choro, a ordem, a decisão, a luz apagada, a porta fechada ou só uma fresta — mas quantos fantasmas poderiam se infiltrar por uma fresta daquelas? O anjo do cemitério, o tumulto nos arbustos, os contos de fadas belos e sinistros, silêncios à mesa, sombras no corredor. Todo o exílio da infância que, por melhor que fosse, era um universo à parte, dominado pela magia.

Restava esperar que o sono viesse me salvar. Mas em certas noites ele tardava, ou pior: eu acordava em sobressalto enfiada num poço de breu, um funil que me engolia, fisicamente eu estava sumindo num furinho minúsculo que me sugava. Tinha de fazer força para não entrar ali e ser consumida, o ralo do fim do mundo estava me levando.

Não havia aparentemente razão para aqueles temores. Que mão me puxava, que ameaças rondavam, que tormentos poderia ter uma criança tão protegida e amada?

Tudo o que na luz do dia fora familiar, no escuro tornava-se funesto. Na noite escondia-se um mal sem rosto nem nome, aguardando apenas que eu cedesse, que me perdesse no sono, deixasse de resistir para me levar.

Entre essa agonia e o primeiro latido de um cão ou canto de um galo ou passo na calçada, ficar acordada no escuro era passar uma ponte muito frágil sobre um abismo. E eu não sabia quanto meu anjo da guarda seria eficiente, quanto estaria talvez perdido em suas próprias cogitações.

•

Histórias do dia, temores na noite.

Um fato narrado pelas empregadas na cozinha me perseguiu durante algum tempo, depois acomodou-se numa fresta da memória para emergir muito mais tarde. E me fez acordar certa noite com o mesmo velho sobressalto, lembrando cada palavra. Coloquei-o no livro que estava escrevendo nessa época, onde o episódio se encaixou perfeitamente: estivera apenas todos aqueles anos à espera para ser narrado e se fixar.

Uma conhecida delas era habitada por um verme enorme e cego. Ninguém sabia como entrara nela mas estava lá, e à noite, faminto, subia pela sua garganta, tentava entreabrir a boca da infeliz que acordava e não conseguia nem gritar. O animal, o monstro, tinha fome. Queria comer, queria sair e procurar alimento.

Aparecia entre os dentes da mulher, e uma vez o marido horrorizado tentara até puxá-lo para fora, mas o intruso se recolhera de volta às entranhas da que sem querer lhe servia de toca.

Então ensinaram-lhes um remédio: o animal gostava muito de leite. Colocava-se um pires de leite no chão junto da cama, e com certeza uma noite dessas o bicho sairia inteiro para se alimentar.

Minha primeira reação a qualquer possibilidade de terror era sempre me defender negando: recusava-se o mal, e ele não existiria. Devo ter dito às moças que contavam o fato que aquilo não existia, e riram de mim:

— Como não existe? Claro que é verdade, é, sim. Vá perguntar para sua mãe.

Corri para pai e mãe e avó perguntando se era verdade, se era possível alguém ter um grande verme dentro. Sem saber a origem da minha ansiedade responderam que sim, que era possível, às vezes acontecia, um bicho que se chamava solitária.

E, usando o fato exemplarmente, ainda disseram:

— Principalmente em criança que come fruta sem lavar.

E eu, que naturalmente comia sem antes lavar as uvas, as peras e maçãs apanhadas no pomar, já sentia cumprida em mim aquela sentença.

Tive certeza de estar também habitada por aquele bicho com nome sugestivo: Solitária. Então era solitário, que solidões ele experimentaria no escuro dentro da gente? Mal eu começava a escorregar para o sono, a cabeça do verme subia pelo meu esôfago, chegava à garganta, ia rastejar sobre a língua. Lá vinha ele, sozinho e ansioso, faminto.

Eu sufocava e não conseguia pedir ajuda.

Quando enfim um grito se liberava e meu pai vinha correndo, dizia que tinha sido tudo um sonho mau, "dorme, dorme, agora o pai está aqui".

Mas na noite seguinte, ou em outra qualquer, tudo recomeçava. Algo insidioso pairava nos cantos do quarto, não me deixava dormir. Sempre aqueles fragmentos de conversas, de sensações, de visões do dia vinham me fazer uma indesejada companhia.

O inexplicado era o nascedouro de meus medos.

Certa vez decidi tomar coragem e combater os espectros da escuridão. Pus-me de pé em cima da cama, e comecei a fazer as caretas mais terríveis, a saltar agitando braços e pernas para assustar aquelas criaturas mais do que me assustavam a mim. Tinha uma noção do grotesco e inútil do que estava fazendo, mas tirava disso alguma força: finalmente em lugar de me esconder, eu reagia.

E saboreava por algum tempo a ilusão de uma coragem que depressa se desvanecia.

•

Apesar das rebeldias, ninguém levava tão a sério as frases pedagógicas que faziam parte da nossa educação quanto aquela menina.

— Quem rói unha, a unha vai formando uma bola na barriga, que cresce, cresce, e depois o médico tem de vir, abrir a barriga com uma faca, e tirar a bola.

Ela que por um breve tempo roeu unhas, sozinha na cama no escuro apalpava-se: sim, estava ali, certamente, a bola de unhas pecaminosas crescendo, e o médico teria de ser chamado com seu bisturi.

— Quem engole semente de fruta, nasce uma árvore dentro da barriga, e aí você vai ver.

Nas noites da minha culpa pelas frutas não lavadas, a árvore crescia em mim, farfalhando: macieira, pitangueira, seus brotinhos enchendo meus pulmões, eu já não respirava direito. Logo sentiria saírem pelos meus olhos, ouvidos, boca, uns galhinhos sinistros.

Nessas insônias de criança eu só sossegava quando os primeiros galos começavam a armar a rede do dia por cima das casas. Ou quando, na primavera, me divertia imaginando os sabiás como anõezinhos bêbados saltando para cima e para baixo em degraus de música.

Depois outros ruídos familiares confirmavam a vida: os cascos de um cavalo no calçamento, as rodas de uma carrocinha, o leiteiro, o padeiro, passos humanos na calçada. Passos concretos, não vestes arrastadas nem correntes nem gemidos sinistros. Alguém pigarreando ao andar: um homem simplesmente pigarreava, sem suspeitar do consolo que trazia a uma menina angustiada atrás das venezianas.

A madrugava clareava em tons de cinza e eu enfim distinguia os contornos do quarto, recuperava a certeza de mim mesma: eu era de novo apenas meu corpo aconchegado entre lençóis, rodeada de coisas palpáveis onde me salvar.

Encolhia-me então, e num grande suspiro enfim voltava a dormir, sabendo que em pouco tempo haveria movimento na casa, a empregada preparando café, o pai fazendo a barba, a mãe organizando o dia, o irmão menor chorando.

Talvez por isso mantive esse amor pela hora do amanhecer, quando a casa ainda dorme mas eu assisto à chegada da luz, e a respiração do mundo reinicia.

Em uma fase muito difícil, já adulta, comecei a dormir com as venezianas abertas: quando a realidade reassumia formas e cores lá fora, eu sabia que seria capaz de viver um dia mais.

•

Uma vez, uma vez apenas, tive uma visão de um mal, o Mal sem nome que me ameaçava sem razão e me chamava com sua boca sem dentes nas noites aflitas. Um polvo no bojo das águas escuras da mente, talvez a raiz de tanta insegurança minha, do medo e da atração do medo, e da impossibilidade de o superar.

Eu passava na trilha de pedras entre nossa casa e a de meus avós. A meio caminho, avistei sobre os três degraus da casa deles, entre a varanda e o pátio, um ser monstruoso: meio agachado, um pé num degrau acima outro já embaixo, que me fitava com olhos malignos, boca torta num riso perverso.

Um palhaço. Um *clown*. Do tamanho de um homem, com toda a roupa, o gorro, a bocarra vermelha, os sapatos engraçados: um palhaço meio agachado olhando-me fixamente, horrendo e mau.

Olhei bem, encarei, procurei ver nele algum traço conhecido, era alguém querendo me assustar?

Nada.

Virei-me e corri de volta para casa em pânico. Chegou meu pai, os empregados vieram e examinaram tudo, minha avó saiu de casa e veio, e ninguém jamais descobriu do que se tratava, nem encontraram a pessoa estranha, nem havia palhaço nenhum por ali.

Para os de casa ficou sendo mais uma fantasia minha, mais um dos meus pesadelos.

Mas me assombrou por muito tempo, e eu sei que, concreto ou não, era muito real.

•

Foi também naquele caminhozinho mil vezes percorrido que tive outra experiência intrigante. Não assustadora, pois não era o mal: era apenas o estranho. Na hora me pareceu inteiramente natural, e só a reação dos adultos quando a contei me fez pensar que não era tão simples assim.

Antes de meu pai a comprar para meus avós, a casa pertencera a um casal idoso. A mulher morrera, e o marido — diziam que por solidão — um dia se matou. Enforcou-se na trave por cima do tanque onde mais tarde minha avó lavaria roupas.

Tudo isso ocorreu antes de eu nascer, mas escutei essa história e gravei os detalhes daquele primeiro suicídio de que tive notícia.

Quando estava na casa dessa avó, eu a acompanhava por toda parte, brincando com minhas panelinhas quando ela cozinhava, sentando-me no chão com minha coleção de pedras coloridas quando ela fazia tricô na sua cadeira de balanço. Mas havia uma exceção: quando ela ia para a lavanderia eu não conseguia ficar a seu lado.

— Eu espero lá fora no pátio.

— Mas por quê? Fique aqui junto de mim, olhe, eu lhe dou uma bacia para você lavar as roupas de sua boneca.

— Não quero, eu vou brincar lá fora.

Precisava de ar, precisava de sol, naquelas horas: ali junto do tanque pairavam uma vida truncada e uma presença soturna.

— Eu tenho medo do enforcado.

— Aquele? Mas que bobagem, isso faz muitos anos, antes de eu e seu avô virmos morar aqui.

Para mim o tempo não fazia diferença. Algo ali rondava ainda.

Então, certo dia, quando ia até à casa dela, de repente um homem subiu do chão na minha frente. Pareceu uma grande ave meio desajeitada que levantasse vôo inesperadamente, mas era uma pessoa — com roupas escuras e botas. Jamais esquecerei aquelas botas, primeiro à altura de meus olhos, depois vendo-se apenas as solas cheias de barro enquanto ele subia.

Um homem veio do nada abaixo de mim e foi-se alçando ao céu, tristemente, como se fosse morrer assim: levantar vôo e flutuar até o infinito.

Instantaneamente eu o identifiquei, e sabia: era ele, o que morrera de solidão, mostrando-se aos meus olhos de criança por alguma razão que jamais entendi.

Não senti pavor como no encontro com o horrendo palhaço, apenas o susto do inesperado. Não era um fantasma ameaçador: era um pobre homem. Era intrigante. Quem sabe tinha vindo para alguma reconciliação que eu jamais entenderia?

Por ele, por aquele vulto, aquele par de botas, aquele espectro tão humano de quem eu sentira pavor junto do tanque na lavanderia de minha avó, tive um sentimento de intenso amor. E se foi, aquele singular homem-pássaro sem asas afastando-se com suas botas enlameadas — e desapareceu no azul para se fixar na minha memória, como um encontro sem igual.

•

No gramado, um balanço preso em traves de madeira por longas correntes, onde eu podia balançar alto, espiar sobre a sebe as árvores do vizinho, e cantar todas as canções.

Varar o vento, subir tão alto, me dava euforia e medo, porém tendo à minha frente a segurança da casa amada.

Um dia, meus pais sentados debaixo das ávores do pátio mais acima, um estalo medonho, e tudo desmoronou. A trave horizontal no alto quebrava-se e caía. Fui jogada sobre ela pelo impulso do balanço retornando, e bati a cabeça.

Lembro o olhar horrorizado de meu pai inclinado sobre mim, lembro o sangue escorrendo pelas suas costas quando me carregava sobre o ombro até o carro, e lembro a disparada pela cidade até o hospital no colo da mãe. Médicos, enfermeiras, rostos tensos, atordoamento e estranheza, gente me examinando e perscrutando com olhos estreitados.

Depois, estar de novo em casa nos lençóis familiares, compressas na testa, pai e mãe segurando minhas mãos, me vigiam preocupados.

No meio da noite, terror e gritos: tudo fora de prumo, as paredes parecendo cair sobre mim, tortos os retratos, oblíquo o lustre no teto. Os contornos dos móveis parecem líquidos. O que acontecera com meu quarto, minhas medidas, minha realidade?

Mais médico, mais hospital, raios X, mais toques e silêncios e olhares avaliadores.

— Não encontramos nada, os exames todos bem. Talvez um pouquinho de fantasia demais dessa menina — o doutor acalmava meu pai e dava tapinhas na minha mão, sorria complacente.

Seja como for, depois de alguns dias tudo voltou aos seus lugares: as paredes endireitaram, o quadro se arrumou no ângulo de sempre, eu apenas me sentia importante e amada. Não me vigiavam, não me repreendiam, nem se lembravam de me educar naqueles dias.

Para minha delícia redobraram-se os mimos, o pai vinha me ver muitas vezes, a mãe estava mais paciente, na cozinha preparava-se meu doce especial — era quase uma celebração dos meus amores, dentro de mim.

•

Uma de minhas avós morava num sobrado cheio de revelações. Recordo nitidamente os desenhos da cerâmica no chão do vestíbulo, o frescor e os aromas que me recebiam na porta. Altas portas de vidro abrindo para a varanda sobre o jardim. Uma inexplicável fascinação por tudo ali, embora me fosse tão familiar.

Ainda agora, quando durmo, muitas vezes ando por essa casa.

Ali todos os cheiros eram singulares, as sombras e claridades mais intensas, o teto altíssimo, as paredes com desenhos: uma sala com ramagens, outra com flores, outra ainda com traços que pareciam plumas soltas, sempre sobre um fundo de cor diferente. E havia uma escada de madeira que na madrugada rangia sob os passos de ninguém.

No pátio a parreira com cachos de uva de vários sabores e tons, no jardim canteiros caprichados com beiradas de morangos, agridoces surpresas no meio das folhas escuras cobertas de penugem ou pó.

Quando era tempo de uvas eu esperava embaixo da escada com a bacia cada vez mais pesada, a avó lá em cima cortando os cachos com a tesoura:

— Este aqui, o mais bonito, é seu — ela dizia.

Muitas vezes eu passava a noite lá, e antes de adormecer contava as rosas de uma ramagem com espinhos que rodeava as paredes logo abaixo do teto. Quem pintara aquilo, com que longa escada e longa paciência?

No meio da noite o relógio na sala de jantar prenunciava as batidas com sua música sincopada. Que gnomo eficiente morava ali dentro para o manter funcionando, e lhe dar a medida certíssima das nossas horas?

— Tem alguém morando dentro do relógio, vovó?

— Não, é só uma máquina.

— Mas como é que o relógio sabe que horas são?

— É um aparelho preparado pra isso.

Continuava sendo um mistério, eu ainda achava que ali morava alguma criaturinha que minha avó não conhecia.

— Tem alguém caminhando lá embaixo, vovó?

— Não tem ninguém. Dorme.

— Mas tem alguém na escada, eu estou ouvindo.

— As escadas de madeira estalam assim de noite, é natural. A madeira trabalha. Agora dorme.

Eu adormecia pensando em que ofício poderia trabalhar a madeira.

Cheiro de café subindo até o quarto cedo de manhã, às vezes o céu mal clareando; o inesquecível aroma da madrugada, de plantas e terra e orvalho. Eu descalça no alto da escada, a avó subindo para me dar a mão — eu pequena demais para a aventura, tantos degraus na penumbra em curva.

Sentadas à mesa — pois meu avô descia mais tarde — éramos duas damas compartindo aquela intimidade feminina do servir e comer e falar trivialidades, e silenciar — e ainda sinto o sabor dos seus maravilhosos bolos, de receitas que jamais anotou ou ninguém soube guardar.

•

Fora uma bela moça, essa avó. Tenho dela um retrato onde avança seu perfil com desafiadores olhos azuis. Era corajosa: para ajudar o marido aprendeu a tirar fotografias e a fazer a revelação num quarto escuro que ela mesma organizou. Pouca gente sabe disso. Seu nome não aparecia porque não era de bom-tom naquele tempo mulher fazer esse tipo de coisas.

Contava-me que quando era criança — e a cidade ainda uma aldeia — ia com as tias e primas mais velhas até um riacho lavar roupa. Eu, menina mimada, achava aquilo espantoso. Algumas das mulheres tinham pena dela, tão pequena tendo de fazer aquele trabalho duro, e a ajudavam lavando parte das roupas do seu cesto.

Tornara-se uma mulher enérgica, um pouco severa. Visitá-la era um ritual de recomendações que me irritava, e talvez me impedisse de realmente a apreciar.

— Fale em alemão, que a vovó prefere.

— Dê um beijo e sorria, cumprimente direito!

— Toque piano para a vovó que ela gosta.

— Não lhe diga que fui jogar cartas esta semana.

Apesar de me ser apresentada como temida e temível, comigo foi sempre generosa e doce, e não me intimidava em nada. Antes de morrer me legou o piano em que minha mãe e minhas tias em tempos remotos, eu criança e depois nós desta casa de agora, tocamos tantas vezes.

Parecia gostar de me ver por perto, deitada no chão catando alfinetes nas fendas entre as tábuas do assoalho quando ela costurava. Eu espreitava aquela cintilação.

— Vovó, ali tem uma coisa brilhando.

— Nada — ela dizia balançando a cabeça, falava entredentes, alfinetes entre os lábios cerrados, olhar fixo na costura. — É só uma agulha, uma bobagem qualquer.

Para mim nada era bobagem: eu escavava a frestinha e desenterrava da poeira talvez apenas uma agulha, mas de qualquer forma um tesouro.

Ou remexia no meu objeto preferido: uma caixa de madeira onde ela guardava botões. A caixa tinha vários andares que se abriam e desdobravam. Havia botões de pérola, outros de contas feito rubis, de osso, de madrepérola, gotas de ônix, e umas carinhas de cachorro peludo, iguais aos botões de um vestido meu.

Ela também criava canários e sabia imitar seu canto. Cultivava orquídeas, que me mostrava com orgulho como se eu, criança, compreendesse, e minha admiração parecia lhe agradar.

Quando não estava cuidando de sua casa ou jardim, eu sempre a via com um livro na mão. Tinha nas estantes coleções de biografias de mulheres famosas, que quando cresci um pouco ela me emprestava. Tínhamos o mesmo interesse por amores difíceis e almas aflitas.

E também costurou muitos dos meus vestidos quando fui adolescente.

Eu tinha de ficar parada em cima da mesa da sala, e girar lentamente, muito lentamente enquanto ela e minha mãe mediam, cortavam, ajeitavam a bainha da saia ampla, e eu repetia a toda hora:

— Acabou? Acabou?

— Acabou nada, se quer vestido novo tenha um pouco de paciência.

— Mas eu acho que vou desmaiar...

E já deslizava para aquele abraço de nevoeiros gentis que me acolhiam quando ficava tempo demais em pé, ou simplesmente quando me acovardava diante de alguma emoção que eu não queria sentir.

•

Naquele casarão, o quarto que fora o de minha mãe era um conto de fadas que só aguardava minha chegada. Quando tinha tempo a avó abria a tampa de um baú sob a janela e eu podia ver, pegar, até vestir: eram roupagens de crianças de antiqüíssimos carnavais.

A sensação de coisas há muito guardadas, o farfalhar dos tafetás, a cócega das plumas, o oblíquo olhar das máscaras acendiam minha imaginação. Vestindo aquelas roupas eu sentia o poder dos disfarces, e a multiplicidade, a riqueza de nada nunca ser o mesmo nem ser um só. Usar uma fantasia era como viver atrás de biombos — era ser todas as possibilidades.

Não consigo descrever a alegria de remexer nesse velho baú: o tempo era como um peixe de vidro de repente na minha mão, concreto. Era meu. Estavam ali os momentos vividos de minha mãe menina, era o estranho-íntimo, onde eu penetrava quase a medo.

E quando em casa lhe falei daquela descoberta, o baú, as máscaras e roupas, minha mãe não pareceu dar muita importância. Achou graça da minha emoção, nem sabia que aquelas velharias inúteis ainda estavam guardadas.

Nessa mesma arca encontrei, embrulhado em papel de seda amarelado, algo ainda mais precioso e estranho. Uma trança grossa e comprida de cabelo castanho-avermelhado, lustroso como se tivesse acabado de ser lavado e seco ao sol.

Corri para a avó:

— O que é isso, o que é isso?

Eu estava ofegante de excitação.

— Olha só, eu até tinha esquecido.

— Mas é cabelo, isso aí, não é? De boneca?

— É a trança de sua mãe que cortei quando ela tinha uns nove, dez anos. Veja só...

Minha mãe já comentara do dia em que lhe tinham cortado os cabelos, que usava até à cintura. Estava assim em algumas fotos muito antigas, séria como se o peso da cabeleira a incomodasse.

Como fosse rebelde ao eterno fazer e desfazer das longas tranças, a mãe com tesoura lhe cortara tudo, deixando-a apenas uma menina comum, com cabelos comuns. Em lugar de se entristecer minha mãe ficara contente: era uma criança como seria mulher, alegre e prática, aparentemente sem complicações maiores — exceto a dor de um menininho morto.

Eu sentia seu olhar sobre mim de vez em quando, ao me ver perdida lá nos meus encantamentos. Talvez estranhasse haver-me parido tão diferente dela, embora fôssemos cúmplices em muitas brincadeiras. Mas aquele registro onde eu às vezes me fixava, aquele desvão pelo qual me enfiava, a deixava perplexa.

A dona daqueles cabelos lustrosos viveu em mim, alimentada com histórias que dela me contavam: de quando não era ainda a mãe futura com a espinhosa tarefa de me educar, mas uma criança que subia em árvores, jogava bolinha de gude na calçada diante da casa com os irmãos, roubava uvas da parreira e (como eu, como eu!) não gostava da escola.

E também podia ser igual a um anjo num retrato, em seu vestido de babados de tule branco, sentada numa poltrona debaixo daquela mesma árvore de Natal que girava desde aqueles tempos inimagináveis e chegaria até mim.

Aquele esboço de mulher — que depois seria minha mãe —, era mais meu que dela, que estava desinteressada daquele passado todo, tão passado estava já dentro dela.

Por um tempo não muito longo convivi com minha mãe pequena reinventada, rosto oval e pele azeitonada, os olhos marotos e a cabeleira intemporal.

Sem o saber, essa mãe-menina foi minha alegre amiga imaginária.

•

Na casa de minha avó paterna, junto da nossa, não havia segundo andar nem sótão nem segredos no jardim; sua memória é de uma presença simples, serena e muito familiar. Ali — com uma exceção — parecia tudo claro e pequeno e acolhedor. Os refrescos coloridos que ela fazia, os biscoitos, alguma história de sua infância que a gente não cansava de escutar, uma avó-menina subindo em árvores e caindo, quebrando o braço.

— Este braço aqui?

— Não, o outro.

— E que árvore era?

— Uma goiabeira, eu já disse.

A gente sabia, mas era sempre extraordinário.

Ela contava enquanto tecia seus tricôs e crochés, o tinir das agulhas fazia parte dela.

A história de sua mãe que morrera muito jovem, voltando do galinheiro com um cesto de ovos. Caíra fulminada, o rosto dentro dos ovos quebrados. Eu via cabelos escuros e olhos azuis, o ouro das gemas embelezando a morte.

A outra antepassada mais antiga ainda, avó da avó, naquela singular escada feminina que subia no tempo, casara-se aos treze anos com um marido de dezesseis. Essa história me deliciava, pois a avó repetia o final sempre do mesmo jeito:

— Ela era tão criança ainda, que quando terminava de cozinhar e limpar a casa ia brincar com suas bonecas.

— E eu sou neta dela também?

— Neta não: tataraneta.

O som era de algo muito remoto, os "tatatatata" perdendo-se num desmedido, mas de qualquer forma estava em mim também aquela esposa-criança com suas bonecas e seu marido-menino.

Os elos entre a infância e a velhice me fascinavam: quantas pessoas era cada um de nós, quantos contidos uns dentro dos outros iam formando uma só pessoa, parindo-se incessantemente, eu ontem não a de hoje, hoje quem sabe não a de amanhã, e de anos e anos futuros, a amplidão do tempo estendido à minha frente?

Dessa avó ficaram-me alguns objetos mágicos. Havia a estatueta da moça de mármore nua secando-se após o banho; havia um vaso inglês que meus filhos quebrariam jogando bola dentro de casa num dia de chuva. Outro vaso, esguio, de vidro esculturado com folhas de plátano e uma assinatura, conseguiu salvar-se dos anos e das crianças, e hoje cochila esfumado entre meus livros numa prateleira da sala.

E havia aquela meia-esfera de vidro verde-claro com gotinhas dentro. O peso de papel e sua impossibiliade de ser: no fundo da dureza do vidro, inexplicavelmente aquelas bolinhas desiguais, umas perfeitas, redondas, outras como lágrimas de geléia derretida. Como teriam sido colocadas ali? Quem as introduzira, por que motivo, quando?

Ninguém sabia explicar, ou não se interessavam por me dizer. Simplesmente se aborreciam com tantas perguntas, algumas já não tinham efeito nem traziam respostas.

O enigma de vidro verde servira como peso de papel no escritório de meu avô, e devia ser já então muito antigo. Eu aproximava os olhos dele — tão pesado para minhas mãos que eu tinha de me sentar na poltrona e minha avó o colocava em meu colo — e queria adivinhar como, quando fora composto o seu milagre.

Hoje está na minha pequena coleção de pesos de papel. Há muito conheço a receita de sua beleza — mas ainda prefiro a não-explicação.

•

Dona Negrinha era um dos nossos últimos recursos. Quando algum problema de saúde não se resolvia, minha mãe levava alguma roupa minha para Dona Negrinha benzer. A benzedeira era procurada (às escondidas de meu pai, ou com sua tolerância) quando as mulheres da casa não acreditavam mais na medicina.

As roupas que lhe levavam retornavam com odor de ervas e fumaça, mas docilmente eu deixava que me vestissem com elas, certa de que já estava curada.

Certa vez não sei que mal perdurava, e resolveram me levar pessoalmente até a benzedeira, eu cheia de curiosidade e medo. Alguém nos levou de carro, e como nenhuma das mulheres dirigia, penso que era meu pai finalmente vencido pela preocupação, ou um táxi, coisa rara em cidade do interior naquele tempo, usado em grandes necessidades.

A casa — na minha lembrança — era quase um barraco. Dona Negrinha nos aguardava numa peça escura onde se divisavam contornos de mesa e cadeiras, a um canto o fogão a lenha aceso. Era um misto de bruxa e anã, fada às avessas. Seus olhos revelavam o branco luminoso na meia-escuridão.

Me olhou, me apalpou, me fez sentar numa cadeira de palhinha diante da mesa cambaia, passou coisas no meu rosto, meu corpo, murmurando em um idioma de bruxedos. Sempre fumando um cachimbo curto, colocou sobre a mesa um copo com água, e dentro foi jogando carvões acesos tirados do fogão, que chiavam ao entrar na água. Alguns ficavam na superfície, outros afundavam, e aquilo, minha mãe comentara em casa, significava coisas que eu também não entendi ou não recordo.

Finalmente fomos despachadas, e eu me senti renascida, protegida, para sempre salva.

Quem era essa que se chamava, ela mesma, de Dona Negrinha, bruxa boa, fada torta, pequena e preta e dona de escondidos poderes?

•

A primeira vez que tentaram me botar no Jardim de Infância foi um desastre. A professora devia ter uma tolerância vagamente aborrecida comigo, que entrei e saí chorando do primeiro ao último dia, e tinha dela um irremediável temor. Nenhuma sensação de afeto, nenhuma ternura circulava entre nós.

As crianças brincavam e eu soluçava num canto.

As crianças desenhavam mas o meu papel se manchava de lágrimas.

As crianças comiam seus lanches, e eu, abrindo o meu guardanapo imaculado, lembrava que minha mãe preparara o bolo ou minha avó colhera a fruta, e me desfazia em pranto.

Minha mãe teve pouco tempo de paciência com aquela filha tremulamente agarrada à sua saia. Por fim minha avó ia me levar e ficava comigo, sentava-se num canto fazendo seu tricô. Mas eu só queria ficar à sua sombra.

Lembro da sala, lembro do pátio e do jardim, lembro da professora, lembro do vestido dela, do avental engomado, lembro sobretudo dos seus olhos baixados sobre mim, entre irritada e compadecida.

Depois de algumas semanas devem ter enfim desistido, mas me ficou até hoje a sensação de ter decepcionado. A um tempo culpada e inocente, vitoriosa porque enfim me deixavam ficar em casa, vencida porque aquela não era uma boa escolha: meus pais haviam-se apenas resignado.

Por que me precisavam arrancar de minha casa para ficar com aquelas crianças que pareciam tão felizes, cantavam e desenhavam e corriam e comiam lanches tranqüilamente, pareciam pertencer a um mesmo universo — não o meu — e achavam graça de mim quando eu me afligia?

A segunda tentativa foi num colégio de freiras, e por alguma razão ali tudo foi mais fácil. Talvez a novidade um pouco misteriosa de tantas saias e véus, rosários, vozes mansas e o cheiro de incenso me fascinassem. Os quadros da sala de aula tinham olhos pacíficos, no pátio uma estátua com ar vago habitava a gruta com fontezinha. Havia ali algo apaziguador, que não sei descrever. Seja como for, sobrevivi um ano inteiro.

Mas o alívio de cada dia ainda era a hora em que alguém

vinha me buscar, e finalmente eu podia ir para casa — e me sentir inteira outra vez.

•

Apesar dos medos, sempre gostei de escapar, fugir, criar meu próprio breve exílio — onde seria rainha de um momento.

O esconderijo podia ser embaixo da mesa na sala — eu me considerava invisível atrás da toalha comprida, de franjas; sob a escrivaninha de meu pai; dentro de um armário; entre arbustos no jardim.

Era uma forma de ficar tranqüila para pensar, remoer tantas coisas apenas adivinhadas, ou simplesmente pensar e sentir.

Um jeito de ter comigo mesma uma intimidade que o cotidiano pouco permitia. Arranjava um abrigo, uma caverna onde me sentia completa. Havia algo de inebriante naquele passageiro isolamento escolhido. Eu tentava nem respirar, para que não se desfizesse o momento mágico.

Era também um proteger-me não sabia bem de quê. Ali nenhum aborrecimento cotidiano estorvaria meus devaneios, e nenhum mal me alcançaria. Eu jamais viria a descobrir que ameaça era aquela, mas era onipresente, onipotente e perturbadora.

Rodeando boa parte da casa havia hortênsias de tonalidades cambiantes: azul-pálido, azul-cobalto, arroxeadas, lilases ou totalmente violetas, em vários tons de rosa, do brilhante ao quase branco. O canteiro de hortênsias era meu castelo verde-escuro de onde brotava inexplicado o milagre das cores.

Mas a castelã de trancinhas finas não agüentava muito tempo: logo emergia dali coberta de pó, e corria para a solicitude da mãe e a certeza do que era familiar.

Outras vezes, audaciosa, afastava-me mais da casa e me deitava de costas na terra morna no meio de uns pés de milho no pomar. Ver o céu daquele prisma, recortado entre as folhas como espadas, era o chamado de mil fantasias entreabrindo-se como portas, como frestas. A perspectiva diferente que eu tinha do mundo e de mim mesma ali deitada era como estar participando de algum feitiço.

Depois vinha o sobressalto: o real era este aqui de baixo ou aquele, móvel e infinitamente livre lá no alto?

Antes que a mãe chamasse, antes que o jardineiro viesse me buscar, antes de terminar o lapso de liberdade, eu me assustava de estar assim e retornava ao conhecido. A imaginação sem restrições seria uma viagem sem volta? Ninguém — nem eu mesma — me encontraria nunca mais?

Escapar da realidade pela fantasia, sem poder mais regressar, foi um receio meu por muitos anos.

•

Euforia de ir ao cinema com a mãe, orgulho de estar ali a seu lado. Antecipação do que se passaria na tela. Cinema era para mim outro tipo de livro, era um livro em que meu pensamento inventava as histórias para as imagens da tela, muito além das simples legendas.

E havia a cumplicidade de todas as pessoas reunidas naquela expectativa, conversas em voz baixa antes de apagar-se a luz, farfalhar de papel de caramelo no escuro.

Eram poucos os filmes que uma criança podia ver naquele tempo, quase sempre desenhos ou uma comédia. O meu problema era nem sempre achar graça naquilo que tanto divertia os outros — ou desatar num riso incontrolável por algo que não parecia engraçado a mais ninguém.

Naquela tarde, uma comédia. Um personagem muito gordo está — me parece — aprisionado num fogão, num forno; e outro, do lado de fora, vai enfiando ali longas espadas ou espetos para furar o pobre trancafiado. Algumas lâminas passam junto ao seu nariz, ele faz caretas. A platéia no cinema dá grandes risadas, mas eu tremo de medo e compaixão.

— Mãe, vamos embora, mãe.

— Pára com isso, menina, onde já se viu?

— Eu estou com medo. Estou com pena dele.

— Não seja boba, tudo isso é filme, é brincadeira!

Mas eu não compreendia a farsa. O que me parecia forno era a caixa do mágico, o gordo não era vítima mas apenas um comediante. As histórias eram todas de mentira — mas para mim não fazia nenhuma diferença.

Depois, um dos personagens, o magrinho, está numa tábua que vai da janela de um edifício alto até uma outra construção. Tenta atravessar, balança, faz caretas, chora esganiçadamente, por fim cai e fica pendurado pela mão.

Todos riem de novo, também minha mãe, mas agora estou chorando alto. As pessoas se viram, olham, alguém reclama logo atrás de nós. Minha mãe me puxa pela mão, quase me arrasta para fora, limpa meu rosto ao sol da tarde, e promete a si mesma nunca mais me levar ao cinema:

— Eu não entendo por que você fica sempre complicando tudo. Onde já se viu chorar numa comédia?

•

Às vezes deviam-se cansar, e me mandavam para um longo fim-de-semana no sítio de uns amigos. Lembro do trajeto sentada no carro ao lado de meu pai, implorando-lhe para me deixar ficar em casa; lembro as pessoas me recebendo com agrados, tentando de todos os modos me distrair; lembro o automóvel azul-metálico de meu pai sumindo na curva do caminho, e a sensação de estar perdida para sempre, a dor desmesurada.

Todos os daquela casa faziam o possível para me alegrar, mas nem as aventuras na vida do campo me consolavam por muito tempo: os quero-queros gritando quando a gente ameaçava pegar seus ovos do ninho; os passeios de charrete, o cheiro áspero de cavalo que eu amava; assar quantos bonecos de massa quisesse na chapa do fogão, ajudar a fazer um bolo, brincadeiras diferentes.

Quando por um instante eu me distraía daquela excitação do novo, estava ainda ali o desamparo.

— Quantos dias faltam para o pai vir me buscar?

— Quantas horas faltam agora?

O sentido da minha pequena existência era estar de volta em minha casa, em segurança, era amar e ser amada.O sentido do grande mundo que tanto me atraía era entender o grande mundo, onde nada era seguro mas tudo era fascinante: porém para isso sobrava-me desejo e me faltava capacidade.

Para mim, qualquer ausência seria sempre a ameaça do definitivo abandono.

•

Mais do que vinha nos milagres — era isso que eu queria. Não era distraída como pensavam: estava sempre atenta a muitas realidades que me convidavam a participar do seu tumulto.

Assim foi quando vi diante de mim aquele príncipe num cavalo mágico: no portão grande, a poucos passos de onde brinco sentada no capim, alguém me chama lá do alto.

Primeiro vejo só aquele cavalo branco.

Cavalos faziam parte da realidade de uma cidade do interior. Mas aquele não era um simples cavalo: suas crinas voavam a um sopro dos ventos, suas narinas fremiam, seus olhos escuros me entendiam, seu odor era de campo e mato, e seus músculos queriam — como o meu coração — espaço e liberdade. E, principalmente, aquele cavalo tinha asas. Não estavam abertas, mas eu as distinguia perfeitamente, e tremiam de seu contido impulso de voar.

Sobre ele, ereto na sela, um príncipe.

Não consegui cumprimentar nem responder. Ele perguntava por meu pai, de quem era amigo, mas eu não emitia um som. Olhava, sentia, aspirava — tudo aquilo para mim era o excesso, era o além do imaginado.

O homem deve ter pensado que eu era deficiente, porque desceu da criatura de fábula, abriu o portão e tocou a campainha da casa.

Não saí do lugar: do outro lado do portão o miraculoso animal pacientemente se deixava admirar. Mais tarde o príncipe a quem ele pertencia voltou acompanhado por meu pai, despediram-se com abraços e aquelas palmadas fortes que os homens se davam nos ombros, subiu no *meu* cavalo, e se foi. Não me deu a menor importância, mas eu jamais o esqueceria.

Meu pai se divertiu com minhas perguntas.

Não, o cavalo não voava, isso só em livro de história.

Não, o homem não era um príncipe mas um capitão do exército, da cavalaria.

— Ainda por cima é baixinho, e feioso — acrescentou minha mãe depois, também achando muita graça.

Não me importava o que diziam. Passei a desejar um cavalo, eu queria um cavalo, queria montar, partir e voar. Agora qualquer cavalo comum na rua me atraía pois era a possibilidade daquele, do outro: eu passava perto, amava aquele cheiro selvagem, lembrava seu rumor quando mascava, sua respiração me comovia, profunda como de sofrimento.

Mais tarde meu pai me ensinou a montar, animais comuns, e no verão passeávamos à beira do mar, os dois. Mas nada se parecia ao Pégaso daquela minha primeira descoberta de um cavalo — ao qual eu conferia asas.

•

Estávamos visitando meus tios em outra cidade, e minha prima, mais velha que eu, quis mostrar a meu pai as corredeiras onde se podia ficar sentado, pés bem apoiados nas pedras, e deixar a água escorrer forte sobre o corpo.

Coisa de adultos, me disseram logo. Eu estava de fora.

Tive certeza de que meu pai não aceitaria. Como ele poderia querer algo de que eu não podia participar?

Mas, sem titubear, achando graça do convite da sobrinha, ele pegou a mão dela e lá se foram com meus primos e tios para o meio do rio — lugar dos privilegiados.

Meu coração furado por um feio punhal de inveja e ciúme.

Fiquei de pé na margem, meus seis anos de insignificância pesando como seis séculos. Sentia frio e tristeza, sentia a morte na alma. Eu era João e Maria abandonados no mato pelos pais, era a Sereia que não podia estar onde estava a felicidade, porque lhe faltavam pernas.

Mãe e tias me chamaram para me dar um doce, um suco, mas eu só queria morrer ou matar. Matar aquela prima, arrancar-lhe os olhos, ou fugir de casa e deixar meu pai morrer de desgosto.

Gritos e risadas no meio do rio, meu pai acenou, gritou palavras que não entendi. Eu só sentia o gosto do que me parecia uma amarga rejeição.

Quando por fim — longo tempo agonizante — voltaram para a margem falando alto, contentes, eu me sentia um verme espezinhado. Subimos o caminho de terra até os carros, eu na frente de todos para que não vissem que estava chorando. Ninguém me dava muita atenção na alegria geral.

De repente meu pai passou a mão na minha cabeça e fez algum comentário.

Não conseguindo falar, fingi que estava dando grandes risadas achando graça de tudo junto com eles. Ele desconfiou, pegou meu rosto nas mãos, viu minha mágoa.

— Mas o que foi, filhinha?

Minha resposta se perdeu no buraco em minha alma desconsertada. Para meu pai eu não era afinal uma pequena rainha mas uma criança — e tudo isso ainda estava muito acima de mim e do meu entendimento.

•

No verão, a grande alegria eram os meses passados na praia. O cheiro de maresia já antes do Natal parecia vir até nossa casa, misturando-se ao dos canteiros de flor. Ao adormecer eu nem sabia mais se o farfalhar lá fora vinha das ramagens ou das espumas. A saudade da praia era como a saudade de alguma pessoa, e crescia, era uma ânsia que se generalizava alegre pela família toda: começavam os comentários sobre a casa a alugar, o horário para sair.

Naquele tempo de grandes distâncias, era a viagem de um dia inteiro, iniciando antes do amanhecer. A praia era então uma imensidão de areia e mar, um povoado com casas de veranistas e um precário hotel.

Partir era quase tão emocionante quanto chegar, a tensão crispava o estômago da gente dias antes. Ser acordada de madrugada, as luzes acesas, ainda escuro lá fora, o pai conferindo mais uma vez as bagagens arrumadas na noite da véspera. Finalmente entrar no carro, soltando as amarras como se fosse para uma grande aventura. E era, para aquela menina embriagada até pelo odor da gasolina e do asfalto, antecipando a maresia e o sal.

Muitas horas depois o carro saía da estrada e disparava na areia dura entre dunas alvas e alvas espumas, até se avistarem ao longe os morros e o farol de tantas lendas. Gaivotas roçando ondas, no chão aves miudinhas correndo com patas quase invisíveis de tão rápidas — e enfim, quase anoitecendo, chegar.

A praia era um local de muitas histórias. O navio encalhado na ilha, emborcado, o casco a cada verão mais desbotado e menor, até enfim sumir nas profundezas num vendaval de inverno. Chegamos e sobrara apenas a ilhazinha de pedra, nada mais. Sabe lá tudo que dormia no fundo do mar escuro: pratos, mesas, sapatos, corpos, cabeleiras, pensamentos e almas perdidas debaixo das águas.

Na capelinha no alto de um dos morros, construída por uma mulher que perdera o filho esmagado pelas ondas contra as pedras, em algumas noites avistava-se uma luz trêmula: diziam ser uma vela acesa por algum veranista crente, ou quem sabe a alma do rapaz ainda procurando pela mãe.

E as anêmonas nas covas de pedra sugando a ponta do meu dedo, que eu retirava depressa, entre enojada e curiosa; e os peixinhos velozes que raramente se conseguia apanhar e depois me davam pena e eu soltava logo, para que fossem felizes; e estrelas-do-mar que então ainda se encontravam tantas. Uma concha maior guardava o barulho das ondas, depois do verão eu teria em meu quarto um mar mínimo e fantasmal gravado naquela garganta de madrepérola.

Meu pai conversando com pescadores cuja fala cantada me atraía tanto: alguns, dizia-se, morriam naquele mar todos os invernos, e eu pensava em suas almas querendo voltar quando de noite tudo parecia mais sereno. Seriam delas aqueles sons que pareciam humanos no meio do rumor das ondas, em plena escuridão?

•

Melhor do que pelas datas imprecisas, localizo alguns momentos de minha infância pelo tamanho dos objetos ao meu redor: os olhos na altura da mesa num jantar de Natal; brincar de casinha embaixo da escrivaninha do pai; ter de esticar o braço para alcançar a mão adulta que me conduz pela rua; todo o universo da família transcorrendo lá em cima, rostos baixando sobre mim.

Parada na areia eu via o mar feito uma montanha, o horizonte bem acima de minha cabeça, qualquer onda parecia crescer por cima de mim, da casa, das casas. Alguém comentou que podia acontecer um maremoto: uma onda, uma só, que vai quase até o céu — chega sem avisar, e ao desabar leva tudo consigo.

À noite eu tinha pesadelos com uma onda gigantesca mergulhando para sempre na treva as casas, o farol, o pai e a mãe, e me levando de roldão entre mesas, cadeiras, guarda-sóis e estranhos peixes.

Mas de dia, livre no sol e no vento, na leveza dos horários menos rígidos e menos cuidados me limitando, descalça e suja de areia, eu ficava feliz simplesmente contemplando o movimento daquelas águas, escutando seus suspiros, aqui e ali um grito, uma voz... de quem, de onde? De vez em quando se fazia um inesperado silêncio quando uma onda se alteava, por um segundo parecendo congelar antes de desabar nas pedras. Eu ficava estática à espera: e agora, e agora?

Tudo isso penetra em minhas narinas, olhos, ouvidos, e me inebria. Misto de liberdade e segurança, pois embora ali na praia não me controlem tanto, mesmo assim me cuidam da varanda da casa a poucos metros da areia.

Ali posso ficar mais tempo quieta, tentando compreender o que é um mar. Escutando, contemplando ou mergulhando nele, ou observando-o do alto dos morros quando se revolve e arfa, aprendo que o mar não é apenas movimento e rumor.

O mar, como tudo o mais — também as pessoas —, é o seu próprio escondido que à noite chega à superfície, procurando não se sabe o quê, talvez buscando apenas quem o escute e entenda.

•

No fim da tarde subia-se o morro do farol. No caminho, feito lentamente, eu apanhava os lírios cor-se-rosa que nasciam na encosta, para enfeitar as sepulturas meio arruinadas do cemitério abandonado lá no alto. Dali escutava-se o mar como um grande bicho estendido até se perder de vista, rebolcando-se e explodindo em espuma e trovão.

O velho cemitério no alto do morro do farol mais tarde foi removido. Está em algum livro meu, outro raro detalhe de minha verdadeira vida perdido entre as ficções. Está no cortejo das minhas lembranças: fantasmas reais e fantasmas inventados

O sol da tarde batendo oblíquo na minha cara, as vozes no vento e — eu tinha certeza — o estalar de madeirames de navios perdidos junto com a respiração dos afogados chiando na minha orelha. A mão de minha avó me segurando firme:

— Olha o precipício, não corre ali, é perigoso, fica aqui comigo. — Era grande a tentação de correr pela beirada do penhasco.

— Mas se eu me jogasse daqui e não morresse?

— Tem gente que andou assim na beirada e caiu, e morreu batendo nas pedras lá embaixo.

— E se eu cair no mar e sair nadando até aquela ilha?

— Se você cair vai se afogar e a gente nunca mais te encontra.

Finalmente, com três ou quatro florzinhas na mão, escolhíamos uma das sepulturas abandonadas e eu depositava ali o meu presente para alguma pobre alma que à noite talvez ainda viesse penar por aqueles ermos.

Acontecia que em uma sepultura meio destapada apareciam — reais ou imaginados — escuros ossos humanos (ou eram pedaços de madeira), e minha avó fazia alguma reza especial por aquele defunto.

As inscrições estavam gastas, a maioria em alemão com datas do século anterior. Uma delas, uma menina com pouco menos idade que eu, teria cinco anos ao morrer, e minha avó repetia todo ano:

— Olha, esta aí tinha quase a sua idade quando morreu — e era como se aquela criança-fantasma continuasse crescendo comigo, ano a ano, a cada visita nossa.

Depois a gente sentava num banco tosco, a avó de novo segurando minha mão porque os bancos eram quase na beira do penhasco. Ficávamos olhando aquele infinito arquejante.

— Será que tem lobo naquela ilha?

— Lobo, nada.

— Mas por que chamam Ilha dos Lobos?

— Tem lobo-marinho, não é como aqueles das histórias.

Eu tinha um pouco de medo de perguntar demais, então figurava a ilha povoada por lobos com longos pêlos pingando água e espuma.

— O que tem do outro lado quando o mar acaba?

— A África.

— Lá onde tem elefante, tem leão?

Se eu nadasse dias e dias e dias chegaria na África e veria os elefantes e leões, não os pobres de circo mas os belos, nobres, selvagens?

— Será que nunca um elefante vai nadar até aqui?

— Meio difícil.

— E será que estrela-do-mar acende no fundo do mar de noite?

— Quem sabe... — respeitava minhas fantasias, aquela avó.

Hoje calculo que ela deveria ter então cinqüenta anos. Para mim era velhíssima, com seu vestido escuro de florzinhas e cabelo grisalho. Mas naquelas ocasiões sua mirada clara era muito jovem. Talvez ela sonhasse como eu, pensando em viagens nunca feitas a lugares exóticos que só conhecia dos livros que, como minha outra avó, trazia sempre na mesma bolsa em que carregava o seu tricô.

Para além de sua existência ordenada e sua natureza aparentemente serena, também ela me legou parte da inquietação que me leva a escrever, partilhar dúvidas e feitiços em tantas histórias, chamando outros para que me ajudem a decifrar o mundo.

•

Deixo que meus pés afundem na areia quando a onda recua, cócegas de criaturinhas que fervilham ali embaixo, misto de graça e repulsa: quem são, o que querem?

Então me chamam, hora de entrar, hora do almoço. Lembro de mim disparando alegre para onde minhas duas avós me esperavam, cada uma com uma toalha na mão.

Correndo fiz automaticamente a escolha: joguei-me na toalha estendida pela avó que morava conosco. Não porque a amasse mais ou a preferisse, mas talvez me fosse mais familiar. Cabeça envolta na toalha com que ela me secava o cabelo, de repente escutei como de longe gritos e insultos em alemão. As duas avós discutiam asperamente. No começo pensei que ralhavam comigo. Mas era algo entre elas, mais ríspido e sério. E xingavam-se tratando-se cerimoniosamente por "senhora".

Enquanto falavam minha avó continuava esfregando com força minha cabeça dentro daquele úmido escuro. A voz e os passos de meu pai chegaram depressa, ele pedia calma, calma, e parecia aflito — me pegou nos braços e me levou para dentro, onde minha mãe chorava.

Depois silêncios, e o meu medo. Solidão ruim de estar à margem daquele novelo de segredos adultos, onde eu era amada, certamente — mas não iniciada.

No dia seguinte ou na mesma tarde meu pai fez a longa viagem para levar de volta à cidade uma das duas avós, não recordo qual.

— Mãe, o que foi aquilo?

— Nada.

— Mas elas estavam brigando.

— Não estavam. Você não entendeu direito.

— Mas elas estavam se xingando.

— Não discute. Não fica sempre inventando coisas.

Eu percebera mais do que poderia compreender.

Alguma situação muito tensa, um fio que já estava muito esticado — possivelmente há mais tempo do que eu tinha de vida — se rompera naquele incidente, mas eu sempre me senti um pouco responsável por aquilo. Pois era por minha causa que brigavam, isso eu entendia, uma acusando a outra de exigir para si todo o meu afeto. Elas falavam "a criança" em alemão, e a criança era eu.

Algo ali mudou definitivamente, rompeu e não se consertaria mais. Algo jamais foi entendido ou perdoado. Nas festas de família agora uma das avós vinha antes, a outra só depois que ela saía. Nos aniversários, natais ou almoços de domingo, esse constrangimento e esse incômodo perdurou até a morte delas, e nunca deixei de me sentir vagamente culpada.

Sobre minha cabeça de cinco anos algo havia se desestruturado: agora haveria para sempre rostos virados, assuntos evitados, pequenos arranjos para não magoar, uma série de inocentes mentiras familiares que eu para sempre detestaria.

Por algum tempo tive então a mania de correr de um para outro da casa e perguntar:

— Vovó, você gosta da mamãe?

— Claro, ela é mulher do meu filho.

— Papai, você gosta da mamãe?

— Mas que idéia, como é que não vou gostar? Eu adoro, é a mulher que eu escolhi, não é?

— Mãe, você gosta de mim?

— Claro que gosto.

— Mesmo quando eu não sou boazinha?

— Mesmo quando você me chateia, sim.

— E as avós ainda estão brigadas?

— Elas nunca brigaram, isso tudo é fantasia sua. Vai brincar e não pergunta tanto. Nem parece criança.

— E como é criança?

— Criança brinca, criança se diverte, não fica só pensando.

•

A vida era uma casa como a minha casa, com salão de festa, quartos aconchegantes — e um porão de enigmas.

Não passava, hoje eu sei, de um simples porão aquele de nossa casa, ao qual se chegava descendo três gastos degraus de pedra. Não devia ter nada de especial. Mas atiçava minha curiosidade, infinitamente.

A porta era baixa, meu pai curvava-se para entrar. A chave ficava sempre pendurada na cozinha num lugar que eu não alcançava.

Por que tão alto, por que tão longe, por que tão sedutora e proibida?

Os moradores daquele porão: uma velha espingarda que servira para caçar até sua bala arrebentar um coração humano. Uma cítara de cordas partidas, ninguém mais tocava cítara, tão antigo aquilo. Uma jarra de louça rachada com bacia, quem lavou ali as mãos, o pranto?

As botas cambaias se encostavam na parede; junto a tachos foscos, uma mala de couro com cadernos esquecidos; um berço de madeira maciça talhado à mão parecia ainda aguardar que o embalassem. Bonecas cegas ou calvas, um cavalo de madeira: crinas verdes e um grande olho espantado.

Quem dormira naquele berço, quem escrevera naqueles cadernos, quem dera risadas cavalgando aquele brinquedo?

Apoiado na parede ao fundo, refletindo-nos como espectros, o espelho fendido de alto a baixo; com o canto do olho eu percebia um movimento que continuava bruxuleando na superfície manchada.

O tempo não existia, pois as pessoas que ali se haviam mirado, que tinham tocado aqueles objetos, escrito aquelas palavras, balançado aquele berço, continuavam enviando seus recados a uma menina cuja sensibilidade era uma floresta de antenas movendo-se em todas as direções, tateando sobre seda e grãos — e fogo e gelo.

E transformaria tudo aquilo em palavras, frases, livros com que pretenderia fixar ao menos um rastro, uma pegada, um roçar de asa de tudo isso que queria ser narrado e passado adiante, para não morrer.

3 | *Mar alto*

Havia um mar e ali brotava uma ilha
cercada de lobos e de pensamentos.
Havia um fundo escuro e belo
onde vagavam os afogados,
os náufragos dançavam
com sereias.
Havia ansiedade e abraço.
Havia âncora e vaguidão.

Brinquei com peixes e anjos,
fui menina e fui rainha,
acompanhada e largada,
sempre a meia altura
do chão.

A vida um barco, remos ou asas,
tudo real e tudo
ilusão.

Quando enfim entrei na escola primária, sem explicações desapareceu a insegurança que me atormentara no Jardim de Infância. Agora era normal estar ali sentindo-me parte de um grupo. Agora eu tinha mais do que apenas minha ousadia para vasculhar o desconhecido. Principalmente, iria aprender a ler e escrever direito, decifraria aqueles traços e curvas e pontos onde os pensamentos se fixavam como flores miraculosas.

Os recreios, meninas de mãos dadas passeando pelo pátio, rivalidade com outros grupinhos; o desdém (mas a curiosidade) pelos meninos sempre suados jogando bola; os pequenos segredos, a cumplicidade — tudo aquilo me fez um grande bem.

Pertencer, ser igual, fazer parte.

Mas também compreendi que muitas de minhas indagações não tinham interesse para os outros. Era preciso ser duas: a que voava no vento das imaginações, e a que passeava com as colegas em grupinhos no pátio na hora do recreio, falando coisas que meninas falavam.

Mais tarde eu saberia que certas experiências se partilham — até mesmo sem palavras — só com gente da mesma raça. O que não significa nem cor nem formato de olho nem tipo e cabelo, mas o indefinível parentesco da alma.

•

Outras ansiedades, outras estranhezas surgiriam, de toda parte estendiam seus tentáculos, rastejavam atrás de meus calcanhares, baixavam sobre minhas pálpebras — rondavam meu coração tão facilmente assustado.

Seu Max, como o chamei, vivia numa daquelas casas baixas enfileiradas na rua principal. Não sei bem quem era nem o que fazia, mas era conhecido na cidadezinha. Falava-se dele, ao menos diante das crianças, por sinais e alusões, um tom de voz diferente, algumas palavras que eu não entendia.

Lembro o ar de espreita com que se postava na fresta da porta de sua casa, entre a claridade acusatória da rua e a treva protetora do seu corredor. Era um rosto ou um focinho, um ser humano ou um rato — era um sofrimento?

Quando passávamos ele cumprimentava minha mãe ou minha avó com uma aguda voz feminina. Embora eu já soubesse que era assim, era cada vez um sobressalto.

Diziam que Seu Max — que no futuro seria personagem de um livro meu — não era nem bem homem nem era direito uma mulher, e por não entender isso eu a um tempo queria e temia que ele estivesse atrás da porta. Depois que sua mãe morrera, diziam também, ele às vezes se vestia com as roupas dela, e andava assim pela casa.

Na minha fantasia tudo aquilo era uma espécie de cozinha do inferno. Crianças podiam perder-se para sempre nesse desconhecido. Eu agarrava com mais força a mão de quem me levava, e procurava não olhar.

Minha mãe dizia:

— Não olhe para ele, não olhe — e a tentação de espiar ficava muito mais forte.

— Mãe, você ouviu a voz dele?

— Fica quieta. Ele está com dor de garganta.

Eu nunca soube sua verdadeira história, mas certamente, numa cidade tão pequena, era de condenação, preconceito e dor. Talvez Seu Max fosse a lata de lixo onde todo mundo podia jogar seus próprios dejetos: seria sempre ele o errado, o culpado, o torto. E assim os outros ficavam absolvidos.

Por quem ficaria esperando no escuro na fresta de sua porta, por que tinha aquela voz, por que a mão de minha mãe apertava mais a minha, por que ele escolhera aquela vida ou fora por ela escolhido, uma meia-realidade entre a rua e o fundo do corredor?

Seu Max me fazia compreender melhor a dor do diferente.

•

Qualquer comparação com outras crianças — feita nas conversas de mãe, tias, avós e amigas da família — me deixava em desvantagem, exceto no duvidoso item ser "mais inteligente".

Uma das tias disse:

— Mas onde se viu, criança preferir livros a brinquedos? Minha filha é da idade dela e já sabe até cozinhar um pouco, e borda quase tão bem quanto eu.

Não havia como discutir: minhas inépcias eram evidentes.

Em lugar de mais uma boneca eu queria mais um livro, ou pior: por algum tempo quis, ambicionei, desvairadamente insisti em ganhar um cavalo cor de mel com crina cor de leite; queria também uma nuvem de algodão de verdade, pedia mais irmãozinhos, pretendia morar no fundo do mar e brincar com os nenês d'água como nas belas ilustrações sombrias de um livro de histórias, queria fugir e queria ficar, ser livre e ter colo, queria a surpresa de tudo.

Na hora de arrumar a cama com capricho, eu me perdia contemplando os desenhos das rendas na beira do lençol: que flores eram aquelas, que arabescos? Na hora de bordar um tecido delicado, eu parava com a agulha seguindo os desenhos pré-traçados daquelas guirlandas: aqui não posso botar uma borboleta, um passarinho?

— Borde o que tem aí, menina, e não puxe tanto o fio!

Oscilava entre humilhada por tantas dificuldades, e um pouco orgulhosa de ser assim. Teimava: *aquela* é que era eu, não todas as outras, nenhuma outra.

Talvez eu nem tivesse nenhuma sincera vontade de mudar.

•

Eu sabia que nunca seria uma dessas meninas que bordavam lindamente, aprendiam a cozinhar e tocavam piano enquanto a família aprovava balançando as cabeças nos sofás.

Eu gostava de comer, mas minhas mãos queimavam só de chegar perto do calor das panelas, e eu tinha nojo de carne crua. A música me fazia voar, porém meus dedos eram indisciplinados como se fossem presos por arames.

Mãe e avós tentaram ensinar-me a bordar, mas qualquer colega minha de escola o fazia melhor que eu. De meus dedos inábeis não brotava nada delicado nem correto, mas torto: o direito do bordado parecia um avesso, e o avesso uma sebe de nós e fios puxados de um canto a outro do tecido, que rapidamente parecia encardir-se ao meu toque desastrado.

Minha emoção se recusava a atuar no teclado, nas panelas ou no bastidor. Meu encantamento e meu poder pareciam resumir-se às palavras, e à imaginação secreta onde perdendo-me eu me encontrava tanto.

Com a melhor das intenções tentaram me adestrar nas coisas boas e úteis que se esperavam de uma menina. Mas eu na verdade não queria aprender nada daquilo. Queria ficar em paz para escutar a vida que pulsava por toda parte chamando vem, vem, vem.Vem me decifrar.

Chegavam quando queriam, os momentos mágicos — a luz incidindo num talo de grama, o aroma da lenha na lareira, a chuva sobre a terra ansiosa numa tarde de calor, o riso da mãe, o passo do pai; um pequeno sucesso na escola, uma confidência com outras meninas; as intermináveis descobertas nos livros; o peixe vermelho no aquário onde um escafandro tentava em vão entrar numa caverna: ali dentro, ali, estava a mãe de todas as bruxas?

•

É uma criança alegre e turbulenta, mas também remota e observadora.

Dissimulada porque insegura? Absorve tudo o que acontece, o que dizem, gritam — e calam — as mulheres e os homens ao seu redor. Vai tendo sua visão, sua perspectiva nem sempre cega: mulheres aqui, homens ali. Mulheres assim, homens assado. Crianças à margem vendo o que os adultos nem saberiam apreciar.

Criança era para ser ensinada. Era preciso adaptar-se, dobrar-se, ser enquadrada.

Eu parecia escapar descontroladamente sobre os muros de quase toda a disciplina. Não me conformava em fazer algo apenas porque "tem de ser assim", "porque os pais sabem o que é melhor", e porque "criança não tem querer".

Mas eu queria tantas coisas, demasiadas. Ser adulta, ser iniciada, ser aceita, ser livre, ditar minhas próprias regras.

Não aceitava a minha própria impotência, a condição de criança que afinal precisava se submeter. Cumpria — nem sempre bem — o que tinha de ser cumprido, mas se não me dessem a razão de cumprir me rebelava.

E embora fossem apenas as regras normais de uma casa e de uma família, eu queria que as ordens tivessem fundamento e explicação. Mas nem sempre havia disposição para dizer mais uma vez a uma criança por que devia fazer as lições, entrar em casa antes de escurecer, obedecer sem discutir, não falar tanto à mesa e não se intrometer nas conversas dos adultos, ir para a cama a certa hora.

Eu me atrapalhava com alguns regulamentos nem sempre coerentes.

— Por que está tão quieta? Está doente? Está triste?

— Nada, mãe, eu estou só pensando.

— Onde se viu criança desse tamanho pensar?

Ou:

— Por que não fica quieta? Pegue um livro e vá ler no quarto, pare de fazer tantas perguntas.

Minha implicância com todo tipo de autoridade nasceu comigo — como o sinal na mão e a cor dos olhos.

Mais de uma vez botei a língua para mãe ou avó. Uma vez chamei a mãe de burra. Cataclismo, lesa-majestade, grave queixa a meu pai. Castigo.

Nesse dia, eu lembro, a mãe chorou e o remorso foi um punhal no meu peito.

Como em outras vezes, corri para o jardim, peguei a flor mais bonita, rabisquei na minha letra — péssima — um bilhete que botei sobre o travesseiro da mãe — que guardou vários parecidos:

"Mãezinha querida eu sei que sou muito má me perdoa eu te adoro."

Mas suas zangas não duravam muito, no outro dia ela era de novo minha mãe, com seu perfume, suas risadas, sua vigilância e sua organização.

•

Havia em mim, sempre como uma bolha prestes a explodir, uma impaciência de mudar, largar as regrinhas e os deveres todos, e ser livre, livre, livre. Mas minhas tentativas falhavam — ou eram ousadas demais, ou eu era demasiado frágil.

Rede de contradições.

Pois tanto quanto ansiava por independência, eu precisava da segurança daquele dia-a-dia. Não viveria longe daquelas presenças, o passo no corredor confirmava a minha vida, o perfume me validava, tudo aquilo me permitia existir, me ancorava na terra — do contrário quem sabe eu me esfumaria nos ares, pura vaguidão, e não voltaria nunca mais.

Eu invejava um pouco a placidez de meu irmão pequeno, para quem tudo parecia bem mais simples — mas seria assim mesmo, ou minha ilusão?

— Este sim, é uma criança calma, boa de criar — repetia minha mãe. — Mas em compensação essa menina complica tudo, nunca vi.

Eu parecia estar sempre correndo atrás de regras não cumpridas, ordens não entendidas, limites extrapolados, sempre devedora, sempre trapalhona.

Quando, décadas mais tarde, recebi homenagens naquela cidade, alguém perguntou à minha mãe "como era a escritora quando criança".

Ela respondeu de bom humor, mas com um gesto decidido e breve cortando qualquer arroubo de quem indagava:

— Era bem bonitinha, era uma criança muito inteligente, fazia perguntas que a gente não sabia responder. Mas era danada, um diabo de teimosa, foi bem difícil de criar!

•

Em meu quarto a mesa de estudos também servia de toucador: ali eu fazia as lições e guardava em gavetas sempre desarrumadas pente, escova, lápis e cadernos.

Sobre essa mesa, um espelho onde em lugar de fazer as lições e estudar tabuada eu inventava novos jeitos de prender o cabelo, mostrava a língua para mim mesma, examinava de perto cada traço, o olho, o nariz, a boca — então aquilo ali era eu, eu, esta? Aquela?

Havia sempre uma possível surpresa na figura que me repetia no espelho. Eu fazia a pergunta — que com freqüência ainda me assalta:

— E se de repente eu sorrio, e ela continua séria?

Hoje parece engraçado, mas então me dava calafrios aquela outra menina a me imitar na lâmina de vidro. Ou ela me observava, do seu mundo peculiar?

Levei quarenta anos para lhe dar lugar efetivo na minha realidade, deixando-a voar montada na vassoura da imaginação e escrever, comigo, um primeiro romance.

E só então eu descobriria: nasci para fazer isso. Tudo antes fora apenas um tatear no escuro, um pressentimento — um medo talvez.

•

Tantos bens, tantos males, raízes da ansiedade que se agitava em mim como folhagens escuras, nas noites em que eu não caía no sono porque os restos do dia vinham me perseguir.

No carro com o pai junto da pista de pouso dos aviões pequenos que a gente chamava teco-teco, lembro o sol no capim e os odores ásperos de terra quente e de combustível. Lembro o conforto de estar dentro do carro como num quarto acolhedor, a felicidade daquele momento seguro.

De repente meu pai comenta, quase monologando:

— Se eu tivesse saúde, ia pilotar um avião assim.

Lembro do meu coração batendo em falso, a garganta apertada e a boca seca: era a primeira ameaça concreta, ao menos a primeira de que recordo. Dessa vez não era pesadelo, eram os meus alicerces que estavam sendo corroídos, solapado o edifício da existência toda.

-- Mas você está doente, pai?

— Doente mesmo não, mas meu coração não anda muito bem. Faz muitos anos — ele não parecia se importar.

— Como é isso? — perguntei sentindo uma vertigem, mas agora não podia desmaiar, precisava da resposta.

— Bom, o coração é uma bomba aqui dentro do peito, que funciona sem parar bombeando o sangue pelo corpo. O coração é o lugar da vida. Quando pára, puft — ele ainda disse com seu jeito brincalhão, os olhos verdes riam atrás dos óculos.

— O coração pára e a gente morre? Então você também pode morrer?

— Posso, mas não pretendo morrer logo. Um dia a gente tem de morrer, filhota, tudo na natureza é assim, as árvores, os bichos, tudo nasce, cresce e morre. E eu não vou ficar pra semente.

Depois dessa conversa, muitas vezes aconchegada no seu colo eu encostava o ouvido naquele peito, disfarçadamente avaliando: as batidas eram fortes, eram regulares, estava bem aquele coração — que significava não apenas aquele pai, mas minha âncora e meu universo?

Às vezes eu esquecia, a ameaça era empurrada para um canto, eu botava na frente grandes biombos de otimismo. Nada poderia acontecer àquele pai grande e vigoroso que gostava de rir, de cantar, generoso de abraços e afetos.

Mas algumas noites eu levantava e andava pelo corredor fazendo algum ruído para que ele acordasse e viesse ver o que havia:

— Que é isso, minha filha! O que foi, teve um pesadelo?

Ou eu me agachava junto à porta do seu quarto no escuro, o ouvido na madeira como no seu peito, esperando um ressonar que fosse, a me indicar que ainda batia aquele coração.

Deixaria de pulsar décadas depois, no fim daquele mesmo corredor, atrás de uma porta entreaberta — meu pai fulminado como uma árvore boa e digna que a tempestade enfim colheu. Essa morte foi a primeira que realmente me atingiu, e modificou a minha vida.

Depois disso o corredor passou a ser o túnel no fim do qual meu pai tinha desaparecido.

Hoje por ali andam passos objetivos de funcionários procurando seus escritórios e seus computadores.

E tudo aquilo de antigo, íntimo e tão pessoal está absolvido, descontado, aliviado — e se foi nos ares como pássaros enfim libertados.

•

O assassinado também foi raiz de muitas ansiedades minhas.

Um motorista de táxi foi estrangulado e colocado no porta-malas do seu próprio carro, assim levado pela cidade a noite toda. Não lembro mais detalhes, mas sei que era eu aquele pobre homem, era eu aquele cadáver rondando pelas ruas noturnas, sem pai, sem mãe, sem casa, sem consolo.

Por alguma razão me impressionou o detalhe: "O motorista, aquele dos olhos azuis", comentaram. Numa cidade pequena isso bastava para o identificar.

Para mim, a Morte passou a ter aguados olhos de vidro implacáveis, impenetráveis, frios.

Por que teriam feito mal àquele pobre homem? Por que, segundo diziam, o haviam torturado antes de o matar?

O que queria dizer "torturado"?

Por que as pessoas às vezes tinham de ser cruéis?

E por que eu afinal puxava as minhocas até as rebentar, fazendo iscas nas pescarias, por que cortava as cabeças daqueles pobres peixes ignorando suas guelras aflitas — eu, naquele instante dona do bem e do mal e de minhas escolhas?

•

Tentáculos de uma guerra longínqua de que se falava mudando o tom de voz estendiam-se por toda parte, avançando até minha cidadezinha remota. Notícias terríveis, tantos mortos que o meu assassinado passava a ser quase trivial. Eu observava os adultos tensos ao redor do rádio grande onde soavam gritos fanáticos. Olhares sombrios, comentários preocupados, temas obscuros.

— A guerra pode chegar aqui?

— Tudo é possível — alguém me respondeu.

Aos poucos chegaram na cidade famílias inteiras fugindo da guerra.Tive uma nova amiga, filha de um desses casais estrangeiros: brincávamos na mesma calçada, eu ia à sua casa às vezes, e quando podia passava com algum pretexto pela sala onde seu pai parecia ter sido largado para sempre na mesma poltrona, ar vago, na testa a marca fascinante de um pedaço de osso faltando.

Comentava-se que ainda tinha pelo corpo fragmentos de granada, impossíveis de retirar.

Então o mal era próximo, íntimo, estava na vizinhança, na casa, em mim.

Eu não desistia fácil:

— Pai, a guerra pode vir até aqui?

— Difícil, estamos longe da Europa.

— Mas pode?

— Poder, pode.

— Mãe, se vier guerra até aqui como é que a gente faz?

— Não vem guerra até aqui.

— Mas e se vier?

— Aí a gente se esconde no mato. Vai brincar, me deixa em paz um minuto ao menos.

Eu parava, mas a fantasia jamais. Quase podia ver minha família inteira com móveis, lençóis, pessoas, instalando-se no mato onde raramente entrávamos, bem atrás do pomar — fonte de ruídos estranhos e bafos inesperados. Eu sabia que mais no fundo havia um riachinho e até uma caverna, mas nunca tinha ido até lá.

Também pensei que se além disso ficássemos todos imóveis, absolutamente quietos, sem nem ao menos piscar os olhos, não haveriam de nos encontrar nem os aviões nem as bombas nem os soldados inimigos.

Sozinha no quarto eu treinava aquela imobilidade, quase nem respirava: assim nem as fantasmagorias de sempre haveriam de me alcançar.

Nesse período tive por algum tempo o pesadelo do homem de pedra:

Lentamente eu ia me transformando numa estátua de pedra. Primeiro um pé, outro pé, as pernas, depois as mãos, finalmente meu rosto ia-se petrificando. Não uma estátua de menina, nem mesmo um anjo de cemitério, mas uma escultura tosca, acachapada, um bloco com vagos traços humanos quase sem feições, sem cabelos, um ser primitivo de pedra bruta.

Duas cavidades em lugar dos olhos, a boca um risco de onde não escaparia um som.

Crucificada em pedra, eu não podia nem mesmo pedir ajuda a pai e mãe para desfazerem aquele malefício.

•

Nos fins-de-semana às vezes a gente passeava de carro até os arredores onde ficava o sanatório. Pessoas de cara vazia, muitas de pijama (por que então os loucos vestiam pijama, ou me parecia assim?), paradas sob as árvores, junto da cerca, ou na varanda do casarão.

— Pai, qualquer um pode ficar louco?

— Pode.

— Eu também, você também?

— Claro.

— E, pai, o louco sabe que está louco?

— Acho que não, ou não seria louco.

Ele riu, sem avaliar o rombo que se abria na minha alma. Depois disso, quando ele se zangava e falava alto, eu às vezes lembrava daquilo: e se meu pai estivesse enlouquecendo?

Ou receava: "E se eu já estou louca e não sei, e ninguém notou ainda?"

Então caminhava no pátio, era verão, era quente, e pensava: "São lajes. Sinto nos pés que estão quentes, e sei que são lajes e que estão quentes; então ainda não estou louca."

E se algum dia, depois de uma daquelas noites infindáveis, eu acordasse louca? Iriam me botar também num sanatório, onde eu ficaria vagando entre árvores vestida numa longa camisola, rosto vazio e olhos arregalados?

Razão tinha quem me diria tantos anos depois, numa carinhosa brincadeira:

— Você cada noite acenda uma vela para os seus personagens, que enlouqueceram em seu lugar...

•

Na beira das águas turvas uma menina se pendurava nos ramos dos salgueiros, ou pescava peixes prateados em anzol de alfinete com seu pai. Lembro a alternância de nojo e prazer, rasgando em partes uma minhoca viva que se retorcia, e botando no alfinete entortado para servir de isca. Aguardar que algum peixe beliscasse e por fim, num puxão incrédulo, observá-lo balançando na ponta do fio, onde ele ficaria numa dança crispada que me dava um certo horror.

— Pai, você não tem pena dos peixes?

— Claro que não, pena por quê?

— Porque eles devem sentir dor.

— Não sentem.

— E medo de morrer.

— Bicho não sente essas coisas.

Eu quase sempre acreditava nele, mas ali, aquela vez, duvidava.

O peixe era demais humano: era esquisito pegá-lo na mão, firme para não escapar, jogá-lo no balde depois de o libertar do gancho fatal. Mais tarde cortar sua cabeça, ele me olhava suplicante mas eu ric-rac, parecia tão fácil e era tão tremendo tudo aquilo nas tardes preguiçosas de domingo.

Lembro a sensação de poder que me dominava segurando na mão os peixes convulsionados; lembro o rangido quando se tirava o alfinete enterrado em sua boca; lembro de imaginar aquele sofrimento.

Segundo meu arbítrio, eu os podia devolver — ou não — àquelas águas turvas, brincando de deus: uma deusa-criança assombrada com sua própria onipotência.

Matar, soltar, deixar ir, privar-me de serem meus — privá-los de sua vida para serem meus — ou ainda deixar que brincassem de viver num pequeno balde para decidir depois: este vai viver, este deve morrer?

A liberdade era tão desejável e difícil. A liberdade era um sol com um furo escuro no centro: o olho da inquietação.

•

Uma lenda que me fez pensar muito era a da criança mentirosa que tinha a língua cortada por não sei mais qual entidade devotada a punir meninas como eu. Viria com uma tesoura enorme, e a gente ficava para sempre sem língua, sem fala, sem comunicação — eterno isolamento.

Mas a mentira era uma criatura de muitos rostos e muitas possibilidades:

— Quando a gente chegar na casa da vovó não comente que fomos visitar a Fulana, porque a vovó não gosta dela. E se ela perguntar, diga que a gente não foi.

Eu sentia um doce sabor de vingança:

— Mas mãe, isso é mentira!

— Está chamando sua mãe de mentirosa?

— Mas é mentira...

— É para não aborrecer a vovó.

Eu, se fosse a avó, me entristeceria muito mais sabendo que mentiam para mim. Mas acabava concordando.

— Não fale pra sua mãe que quebrei o vaso, a patroa fica furiosa.

— Mas é mentira.

— Mentira nada, é só para sua mãe não se aborrecer comigo.

— Tudo bem, eu não conto.

Eram cumplicidades inocentes talvez, eram desses jogos familiares que se exercem por cortesia ou por afeto, por receio ou até por superficialidade. Mas eu, tão cobrada pelas minhas faltas e desastres, às vezes batia pé, radicalizava:

— É mentira sim, você está me mandando mentir pra vovó, agora eu vou mentir sempre e não podem me castigar mais.

Tempestade em casa:

— Nenhuma amiga minha tem uma filha assim, tão rebelde.

Espero que saia o último cliente, e vou ao escritório do pai:

— Quero falar uma coisa séria.

Ele ergue os olhos do trabalho, sempre alegre de me ver:

— Fala, filha.

— A mãe é mentirosa.

— Por quê?

Não parece nem zangado nem muito espantado, talvez um pouco surpreso. Para ele eu não parecia uma criança tão difícil.

— Porque me manda dizer mentiras para a avó.

— Mas são coisinhas tolas, para sua avó não ficar triste.

O nó na garganta cresce — quem daria a medida entre a mentira inocente e aquela que merecia castigo? Eu já não acreditava em línguas cortadas, mas doía mesmo assim.

— Mas uma coisa ou é verdade ou não é. Então mentira não pode ser castigada.

O pai fica muito sério, suspira e diz uma frase que eu mesma vou repetir muitas e muitas vezes:

— Filha, nem sempre dois mais dois são quatro.

Isso eu achava também, e a vida afinal tem confirmado.

•

Anoitecer de verão no pátio. Apanhar vaga-lumes como estrelas, brincar de esconder atrás das árvores, sobressalto: que vultos se esgueiravam nos arbustos, quem era? Ninguém, tudo?

Morcegos voando baixo e as mulheres davam pequenos gritos:

— Cuidado que ele enrosca no cabelo da gente. Os homens achavam graça. Eles eram sempre muito corajosos e seguros de si.

Mas não era isso que comentavam a meia-voz, com sorrisinhos tolerantes, as mulheres quando pensavam que eu não estava escutando. "Os homens são todos iguais; os homens são todos muito infantis; os homens não entendem nada; marido a gente treina."

Muito complexa a trama dos adultos, com aparências e meias-verdades, meias-palavras e revelações parciais. Eu observava com curiosidade atiçada: quem eram de verdade, como eram afinal todos eles no pequeno universo tenso e aparentemente tão arrumado de uma família?

Aqui e ali, a brecha de um comentário que escapava. Não era para criança ouvir, mas aquela criança pescava alusões como peixes.

— Parece tão distraída mas não sei não, acho que está é sempre escutando o que não deve.

Eu me deixava ficar por ali, quieta, sonsa: eu escutava, eu voava na fantasia. O real concreto e o real pressentido eram um pacote que a toda hora se podia desembrulhar um pouco mais e apalpar com dedos comovidos — pois nunca se mostrava por inteiro. Adivinhar, buscar, tatear — seriam o significado de tudo?

•

Aquela era uma visita especial, anunciada pela agitação da mãe e os cochichos das empregadas. O pai diz impaciente:

— Não é visita, é uma cliente como outra qualquer, também tem direito de ter um advogado, não tem?

Depois balança a cabeça, ri, mas que criancice, que bando de mulheres bobas!

A mãe e as empregadas espiavam atrás das cortinas transparentes da sala, única vez que lembro ser permitido espreitar: o carrão lustroso, o motorista particular — talvez então o único da cidade —, as mulheres cochichando comentários por cima de minha cabeça, meu rosto mal chegando ao peitoril da janela.

Uma mulher opulenta, cabeleira preta e crespa, óculos escuros mesmo que não fizesse sol. Vestido branco rodado, saltos altíssimos, colares e pulseiras como se fosse uma festa.

O pai a recebia em seu escritório, minha mãe andava pela casa mais atarefada que de costume.

— Mulher da vida, é mulher da vida, ela, é a chefona de todas — me explicou uma das empregadas.

Achei lindo aquilo, corri para minha mãe e avisei:

— Quando crescer eu quero ser mulher da vida.

O tapa vem, rápido, não forte mas inesperado.

— O que foi que eu fiz?

— Que maluquice é essa de ser mulher da vida?

A cara em fogo pela bofetada e porque sinto que cometi algum engano ridículo, eu grito:

— Melhor que ser mulher da morte, não é?

E todos começaram a rir.

Mais tarde eu iria procurar o pai.

— Por que a mãe ficou braba quando eu disse que também quero ser mulher da vida?

— Ora, porque não é uma coisa bonita para ser.

— Mas o que é mulher da vida?

— É uma profissão triste. Esquece isso, vai brincar.

Ele não costumava me despachar assim. Então aquele assunto não era para ser explicado. E a dona do bordel, com seus óculos escuros, tantos colares e sua aura de coisa proibida, ficou ainda muito mais importante.

Quando aquela visita saía, minha mãe escancarava as janelas do escritório "para deixar entrar o ar puro" — como se ali tivesse ficado, além do perfume adocicado demais e do cigarro, algum veneno.

De que tinham medo, o que naquela pessoa fascinava e provocava tanta repulsa? Eu sentia uma vaga cumplicidade com essa que fazia parte do indecifrado que permanecia nos limiares, no desvão, atrás da porta, além do alcance — por isso mesmo tão sedutor.

Mas isso, eu não diria a ninguém.

•

Minha primeira morte real foi a mãe de uma colega de escola cuja casa eu visitara várias vezes. Uma mulher grande, maternal. Lembro vestidos escuros com golas de renda branca? Lembro mesa de café da tarde com outras crianças, naquela família? Uma criatura mansa e bondosa que ajudava os pobres, abrigava as crianças, servia à comunidade? Era mulher de um professor? Do pastor? Não sei mais, mas algumas coisas ainda sei.

Os comentários em nossa casa eram de que um câncer a devorava. Ventre inchadíssimo, de onde os médicos tiravam litros de água.

— Mas tiram como?

— Com um agulha enorme.

— Será que dói muito?

— Não sei. Deve doer.

— E por que sendo tão boa ela tem de sofrer?

— Deus faz sofrer aqueles a quem ama.

Foi a primeira pessoa morta que vi. Com outras crianças desfilei diante de seu caixão, na sala da casa onde costumávamos brincar. Para meu susto, em lugar dela haviam colocado ali dentro uma boneca do tamanho de uma criança do meu tamanho. Cinzenta, estranha.

Não comentei nada com ninguém mas saí depressa, nauseada de medo e pelo cheiro de flores e velas, odor de morte.

Mais tarde falei daquela estranha troca para uma de minhas avós, que fora sua amiga. Onde estava a verdadeira morta, se no caixão havia uma boneca?

Era ela, me explicaram enfim, era ela, consumida pela doença e reduzida àquele resto.

A Morte era um tenebroso animal que nos devorava de dentro, solitária e sorrateira.

•

Um dia a Morte visitou a escola: uma das meninas maiores tentara se matar no banheiro, cortando os pulsos com gilete. Todo um lado do pátio ficou interditado, meninas usando banheiro dos meninos com professores vigiando, risadinhas e confusão contra o pano de fundo daquele teatro inusitado.

Lembro até hoje o belo nome dessa moça, de quem fora isso guardo uma lembrança palidíssima, pois voltou à escola por pouco tempo, vagou sozinha pelo pátio branca como um fantasma — depois desapareceu.

— Mas por que queria se matar?

— Um dos rapazes fez mal a ela.

— Como, fez mal?

A outra me olhou incrédula, caiu na risada. Desisti de saber, mas ali estava o estranho outra vez.

Em casa indaguei da mãe o que era um rapaz fazer mal a uma moça.

— Por quê?

— Falaram na escola.

— Fazer mal é a moça ficar grávida.

A mãe parecia não gostar muito daquele assunto.

— Mas ter filho é ruim?

— Quando a gente não é casada é horrível, a gente cai na boca do povo.

Aquilo, eu sabia, era quase tão grave quanto matar ou roubar.

Mas o que me intrigou mais não foi aquele "mal" não bem explicado: foi o fascínio da morte longamente preparada. Obter a gilete, andar com ela escondida, tomar a decisão: cortar a pele primeiro, depois a carne, aquele sangue: tinham falado em muito sangue no banheiro da escola.

O fio fino e sutil da lâmina — comentaram que a pobre havia escondido a gilete debaixo do travesseiro antes de levar para a escola — ficara à espera em noites de aflição enquanto a moça despetalava sua incerteza: bem me quero, mal me quero.

A Morte vigiando debaixo do travesseiro, certa da sua presa, e a mocinha de olhos abertos no escuro namorando a solução para o seu mal.

•

O avô que morava mais próximo era um pouco mais distante para mim, e morreu cedo.

Guardo dele a lembrança de um relógio de ouro com uma longa corrente, que ele colocava no ouvido de meu irmãozinho para o fazer sentir o pulsar do maquinismo que aprisionava o tempo.

Eu sentia um pouco de inveja, pois aquele avô parecia me achar totalmente desinteressante, seu afeto era todo para o meu irmão.

E recordo uma vez em que, sentada à sua esquerda na hora do café da manhã, ele me repreendeu porque ao manejar a faca com o mel quase líquido eu pingara uma gota em seu prato. Tentei fazer melhor na segunda vez, mas devo ter feito ainda pior, pois as costas de sua mão bateram com força em minha boca. Senti quase tanta raiva dele naquela hora quanto depois sentiria amor e piedade na sua doença.

Quando ele adoeceu, o caminhozinho de pedras que levava à casa dele parecia uma trilha de medos. Um gelo de morte recobria aquele lado do meu universo. A avó de olhos vermelhos. Palavras sussurradas entre os adultos.

Eu o visitava pouco, em nossa casa a morte não era espetáculo para criança. Lembro gemidos abafados em um quarto escuro, cheiro acre de remédio ou desinfetante — dos cantos, um sopro que me dava calafrios.

Quando ele morreu enfim, numa véspera de Natal, chorei porque sentia que perdera algo que devia ser bem próximo de mim mas eu nunca tinha conhecido direito. Chorava por uma sensação de irrecuperável, de uma impossível aproximação.

E perdoei tudo: o tapa por causa do mel derramado, sua distância, sua aparente falta de interesse por mim, um pouco de medo que sempre senti dele, e o frustrado desejo de ser posta no colo como meu irmão, e ser amada do jeito que eu tanto queria ser.

Meu avô do sobrado ficou mais presente, talvez porque tenha morrido quando eu já era moça e pude conhecê-lo melhor, e também por ser muito sereno e alegre. Quando moço tocara violino, e às vezes ainda tirava o instrumento de seu estojo e tocava — para delícia dos netos. Dava-me presentinhos quando minha avó não estivesse por perto, pois era sempre ela quem dava os presentes maiores e mais bonitos.

Em geral ele colocava em minha mão algumas moedas grandes, pesadas, e pedia com ar de menino maroto:

— Não conte nada para a avó.

Era um homem gentil. Teve muitos amigos, inclusive jovens, até morrer.

Quando ficou viúvo, já idoso, eu, que pensava que se aliviasse da presença da mulher exigente e severa, fiquei pasmada vendo-o vagar pela casa, ar perdido, repetindo para si mesmo:

— Mas onde é que ela está, onde está?

Assim espiei mais fundo no misterioso reino dos afetos.

Em meu quarto tenho hoje um armário esculturado onde inicialmente se deviam guardar as camisas desse avô, mas no fim ele enfiava documentos antigos, papéis aparentemente inúteis, e caixinhas com remédios que jamais tomava.

Um dia me mostrou com orgulho uma folha coberta com sua impecável e elegante escrita de tabelião — para vergonha da neta, cuja letra até hoje cambaleia para a frente, atarantada.

•

Mesmo podendo canalizar melhor na escola parte de minha curiosidade ardente, eu não seria uma aluna excepcional. Meus cadernos sempre tinham orelhas, a maior parte dos assuntos não me atraía, minha letra era tão rebelde quanto eu, e o meu horror ao repetitivo e ao tedioso jamais se desfez.

Principalmente, eu continuava a ter problemas com a disciplina. Toda a minha rotina escolar foi uma longa, constante e frustrada batalha com as regras e regulamentos. Silêncio na fila antes de entrar na sala de aula, uma fileira rígida: a gente botava a mão no ombro do da frente para alinhar direito aquela impossível ordenação de crianças de todos os tamanhos e jeitos.

Eu não resistia à tentação de olhar para trás, e o esforço de algum dos meninos por entrar na fila, estender o braço, ficar sério, me fazia explodir em risos. Eu era tirada da fila e ficava de castigo ao lado, esperando todos passarem, e era a última a entrar na sala de aula.

Não que não me esforçasse: tentava me interessar por história ou geografia, ver algum sentido na aritmética, ou — desgraça das desgraças — treinar caligrafia. Minha mãe conservou um ou dois cadernos meus de colégio: na margem, aqui e ali, escrito pelas professoras num vermelho acusador: "Letra horrível!"

Boa parte do tempo eu espiava o céu pela janela: queria estar em casa, queria perambular no jardim, queria ser livre para sonhar, queria ler sossegada. Ser uma boa aluna não significava nada para mim: muito melhor seria me transformar na boneca Emília, que transgredia e ainda por cima era aplaudida.

Por que eu não podia morar dentro de um livro, e ser, em lugar daquela menina que esperavam, uma invenção de mim mesma — uma história boa?

•

"Joana olha o Mosa" — começava um livro que amei mais do que tantos. Uma lição de arte que gravei: naquela introdução sábia, Erico Verissimo me fazia sentar ao lado da menina Joana d'Arc. Eu contemplava o Mosa com ela, entrava na sua história — e ela na minha — e éramos amigas.

Não era sempre tão simples: eu também queria ser Jane de Tarzã, mas minhas qualidades atléticas eram zero. Queria ser Aretusa do Jardim das Hespérides, do mundo grego que Monteiro Lobato abriu para mim, porém eu jamais teria aquele perfil grego — e pomos de ouro não nasciam no jardim de nossa casa.

Na escola eu esconderia com fervor que, além das histórias em quadrinhos e dos açucarados romances de amor ou aventura, eu me entregava avidamente aos tesouros da biblioteca de minha casa, decorando — pela pura alegria — longos poemas em português ou alemão, traduzindo à margem de alguns livros os trechos em prosa que me pareciam mais bonitos.

Essa era uma parte de mim que por muitos anos só com meu pai eu partilhei, e nem o primeiro namorado na adolescência saberia desse meu quase-segredo, dessa minha disfarçada solidão.

O que estava nos livros seria apenas invenção, ou teria uma realidade semelhante à do meu cotidiano? E o concreto que me rodeava, não seria ele apenas imaginado — assim como o mar, não sendo apenas montanhas de água, era algo mais, a chamar com gritos humanos?

E as pessoas reais — como aquelas das histórias — haviam de ter uma segunda existência e uma terceira, recobrindo-se como várias peles de dúvidas, desejos, conflitos talvez nunca expressados? Éramos isso, todos nós? Quem éramos afinal?

O pensamento disparava como um cavalo desenfreado, atravessando uma sucessão de portas que se abriam revelando atrás mais outra sala e outra, e outra ainda — como roupas, como máscaras.

O real só era real se fosse a cada momento reinventado, e infinitamente se expandia querendo ser perseguido. Para mim, a revelação final ardentemente desejada nunca resultaria da soma de números nem da observância de regras, nem da adequação a todas as normas: viria como uma fulguração, como um raio, um vento misterioso, um amor — ou permaneceria sempre à sombra do desejo.

Viria, a cada hora, a cada ano, a cada vez, desde que a gente estivesse à escuta, à espera, à disposição. Era preciso o grão de loucura, a interrogação do nada, a intuição que fazia uma criança estender a mão para tocar no novelo de poeira e fios, onde nunca havia um simples alfinete, mas sempre uma estrela.

•

Apesar de meus propósitos de me corrigir, de afinal ser estudiosa e interessada e melhorar a letra, as notas, o comportamento, eu encontrava cada vez menos prazeres na escola.

Na verdade não queria que me ensinassem nada: queria descobrir.

O que a intuição não penetrasse rapidamente tornava-se um fardo penoso para mim, e um enigma para quem precisava me instruir: "tão inteligente para algumas coisas, tão obtusa para outras", assim me definiam na escola.

Em matemática era péssima: não queria saber quantos metros de trilhos teriam de ser colocados, em quantas horas, para que o trem chegasse em tanto tempo ao seu destino. Pensando em trilhos e trens, eu divagava com a paisagem, os destinos que seguiam nos vagões, a expressão dos rostos nas janelas. Mesmo depois de adulta, não tive certeza de que dois mais dois fossem sempre quatro: por que não quatro e meio, de vez em quando? Além do mais, a beleza dos problemas, se existia, era o seu mistério. Resolvidos, expostos nus e medidos, perdiam qualquer atração que pudessem ter para mim.

Eu também era fraca em geografia: não conseguia decorar a altura das montanhas nem a extensão dos rios, mas escutava vento soprando nos picos gelados, águas chapinhando nas margens remotas... e a voz dos pescadores chamando uns aos outros quando tinham fisgado um peixe maior.

Se o professor de história mencionava os jardins suspensos da Babilônia, eu já saía vagando entre os canteiros daquela maravilha presa nas nuvens por correntes de ouro, pencas de gerânios tombando das beiradas.

Em ciências, dados de experimentações não me convenciam. Intrigavam-me a linguagem dos bichos e a vida das plantas. As nervuras da asa de uma abelha vistas na lupa eram toda uma paisagem — quem andaria por ali?

Também me cansava nas aulas de gramática: linguagem era sortilégio, e importavam — mais do que as estruturas — as franjas da fantasia em torno de cada palavra.

Para sair do torpor, eu inventava distrações como ir empurrando a caixa de lápis e canetas até à beira da mesa; mais um pouco, a caixa caía esparramando no chão o seu alegre conteúdo; vários dos meninos se jogavam de quatro entre as carteiras para reunir tudo outra vez.

Nessa hora eu me sentia parte daquela meninada. Eu os fazia rir, era o palhaço da turma, assim me tornava mais próxima e mais amada.

Vermelho de indignação, o professor apontava a porta, e eu ficava de castigo de pé no corredor de ladrilhos gelados; ou me mandava direto para a sala do diretor, recurso mais grave mas que já me era tão familiar. Eu tinha pavor dessas horas mas também não as conseguia evitar.

Era fatal, com mais freqüência do que eu poderia admitir, ficar plantada diante da mesa do diretor. O sermão de sempre, medo e constrangimento, e uma certa raiva: por que não me deixavam em paz?

Às vezes o homem me interpelava incrédulo:

— Você é tão inteligente, poderia ser sempre a primeira da classe, então por que não se esforça, por que não se adapta, por que é sempre tão infantil, por que não se interessa por nada?

Eu me interessava.

Me interessava ardentemente pelo que o mundo queria me dizer: nas árvores no vento na chuva no silêncio no perfume de minha mãe no olhar de meu pai na ternura de meu irmão pequeno no tempo acumulado em minhas avós nos livros nos cantos das casas nos tumultos das sombras que só eu parecia ver.

Aquilo me desafiava permanentemente a sair de mim, a entrar em mim.

E não tinha nada a ver com escola, nem me ajudava em nada na hora de receber as notas.

•

Eu jamais esqueceria os dias de mostrar o boletim, que às vezes a mãe ia entregar ao pai em meu lugar — nisso era minha aliada, não dava tanta importância àquilo de estudos.

Depois de um tempo interminável ele me chamava ao escritório, me recebia sentado atrás da escrivaninha, nas mãos o vergonhoso atestado da minha inépcia. Muito sério ele pronunciava a sentença:

"Estou profundamente decepcionado com você."

Aquele deus amado acima de tudo me encarava como se eu fosse uma ré — e assim eu me sentia. Mais ainda, doía-me reconhecer que não ia mudar nem fazê-lo entender que não era por teimosia ou negligência que eu falhava: era falta de talento para ser melhor. Meus dons limitavam-se ao que me interessava: só ali eu alçava vôo. No mais, arrastava-me sem alegria, medíocre e sempre devedora.

Minha avó contava que quando estudante meu pai era sempre o primeiro da turma: ganhara uma medalha de ouro ao concluir o curso, e na Faculdade era admirado pelos professores. Alguns de meus primos também só davam alegrias aos pais com seus sucessos na escola.

— E você, que não é menos capaz do que eles, como é que vem com essas notas?

— Quem sabe eu sou mais burra, vovó.

— Burra nada.Você é preguiçosa, isso sim. E distraída demais.

Eu não conseguia me interessar por boa parte das matérias — e sem paixão não realizava nada direito. Não queria entender os números, queria o pensamento livre; queria poemas em lugar de geografia, e o único mapa que me interessava era o das estrelas, com os belos nomes de suas constelações.

Assim, era internamente puxada para dois lados: mais uma vez duas meninas dentro de mim brigavam entre si.

Uma queria entender o mundo, a outra longe de casa morria.

Esta sonhava ser bailarina, aquela começava irremediavelmente a engordar.

Uma precisava de permanência, outra amava o esquivo e o fugidio; esta queria colo, mas tantas vezes a outra sentia abrir-se entre ela e um regaço um incômodo vazio, e não suportava algemas.

Eu não podia saber qual venceria. Nem ao menos decidira qual das duas me agradava mais.

Tudo era o projeto de uma integração precária — porque entre meus desejos e minhas realizações havia muito mais do que um mar.

•

Um dia reformaram a nossa casa, e resolveram também me reformar a mim.

Antes que eu me instalasse direito no meu quarto novo — onde, como eu pedira, a cama era uma ilha num mar de prateleiras com livros — fui mandada embora.

Por não ser boazinha, explicaram finalmente, pela rebeldia contra tudo o que achavam bom para mim, porque me amavam tanto e queriam o meu bem, estava sendo mandada para um internato em outra cidade.

— Fracassei na sua educação, minha filha — uma das frases mais dolorosas que meu pai jamais me disse. — Não é culpa sua, eu sinto que realmente fracassei. Você não vai bem na escola, briga com sua mãe, tenho de fazer alguma coisa pelo seu bem, ainda que seja duro. E acredite, vai ser mais difícil para mim do que para você.

No começo não acreditei. Mas quando vi mãe e avós bordando minhas iniciais em lençóis brancos sem nenhuma renda ou fita; quando costuravam para mim uniformes de listinhas azuis e brancas e grandes aventalões engomados, e conferiam listas de objetos daquele sinistro enxoval, entendi que não havia remédio.

Desta vez nada me salvaria — nem desmaiar, nem ter febre três dias, nem chorar até me secarem as lágrimas. Era sério, era para valer, e — ironia das ironias — estavam persuadidos de que era para meu bem.

A viagem foi um desastre. Iam conosco duas meninas de famílias amigas, internas naquela escola, voltando para lá depois das férias. Via-se que achavam graça do meu desconsolo. Segundo elas, o internato era um lugar divertido onde se faziam muitas amizades.

Meu pai me deu um sorriso animador:

— Viu, filha, elas até sentem saudade de lá quando estão em casa.

Eu chorei calada do começo da viagem até o fim.

Invejei a superioridade delas, que me fitavam como se eu fosse um bicho esquisito — nesse momento eu quis ser igual a elas, tão independentes da família. Meu excessivo apego, aquele amor doloroso que me fazia sofrer e pesava nos outros — elas não o entendiam.

Voltavam para a escola contentes, mas eu estava sendo tirada do paraíso, da família, da casa, dos livros, da minha cidade — de mim mesma.

Foi pior ainda quando vi o edifício onde trocaria o quarto de criança mimada por um dormitório dividido em celas por biombos de pano branco, baú de roupas debaixo da cama — tudo impessoal. A certeza do abandono viria devorar minha alma à noite e não a deixava de dia, quando eu assistia às aulas como se fossem em um idioma estrangeiro, e nas horas livres ficava parada sozinha no pátio até que alguém se compadecesse e viesse me procurar.

Naqueles poucos meses simplesmente me arrastei, patética, entre dezenas de meninas barulhentas e alegres.

Numa das longas mesas do refeitório sentavam-me à frente da diretora de olhos de vidro azul. Eu não comia porque nada descia pela minha garganta trancada: remexia com a colher uma sopa de lentilhas com pedaços de pêra cozida, que em casa ninguém se atreveria a colocar na mesa. Tinha repulsa pela sobremesa habitual, uma substância esbranquiçada, sem gosto, que as meninas por brincadeira chamavam "gosma".

Era preciso comer de tudo, isso era disciplina, era assim que se preparavam as meninas para a vida, comentava a diretora. E acrescentava apontando para mim o nariz fino:

— Mas a princesa não acha nossa comida boa o bastante — falava alto, para todas ouvirem.

À tardinha as internas se reuniam numa pequena elevação com árvores atrás da escola. Dali se viam morros parecidos com os que rodeavam minha cidade. Eu me dilacerava entre a saudade e a excitação de pensar em como poderia fugir dali.

— Se a gente caminhasse sempre naquela direção, em quantas horas chegaria em minha casa? — perguntei a uma colega mais velha dizendo o nome de minha cidade. — De carro são quatro horas — expliquei ainda, na esperança de uma indicação. Ela não sabia, mas tentou me confortar. Era uma das que vinha falar comigo nos recreios.

— Daqui a pouco você se acostuma, todas aqui no começo sentem saudade.

Talvez eu conseguisse me salvar, compreendendo — para aceitar — o que estavam fazendo comigo. Febrilmente quando estava sozinha procurava uma explicação, e acabava sendo contra mim mesma:

"Se me castigam tanto botando-me aqui, e são pessoas boas, e são minha família e me amam como dizem, com certeza devo ser muito má. "

Não adiantava me dizerem que pais botavam filhas naquele internato porque as amavam, se preocupavam com elas: não havia lugar para mim no paraíso prometido às meninas boazinhas.

•

No internato, toda a correspondência — com exceção de cartas de e para os pais — era censurada ao entrar e sair, o que a deixou muda de espanto, ela que aprendera dignidade e privacidade: não se entrava nem em quarto de mãe ou de filho sem primeiro bater à porta.

As que escrevia para casa, manchadas com lágrimas (que ela esfregava com o dedo sobre a tinta ainda úmida para que não deixassem de notar o quanto estava sofrendo), eram todas lamentos: a solidão, a comida ruim, a saudade de casa. Comentava de uma professora carinhosa, uma amiga divertida, um professor que tinha hábito de jogar um pedaço de giz na cabeça de alguma aluna distraída (ela, por exemplo) e certa vez atirara um livro na cabeça de outra que não parava de falar.

Mas as queixas se concentravam na diretora, que na sua dor ela julgava responsável última por aquela casa, aquela prisão, aquele sofrimento.

Um dia foi chamada à sua sala.

A mulher, alta e empertigada, tirou do bolso do avental engomado um envelope que a menina reconheceu: sua última carta para casa. Que, contrariando as regras, fora aberta e lida. A diretora lera as lamentações todas, e as críticas que a malcriada lhe fazia.

Estendeu-lhe então a carta, e disse com voz pausada:

— Sinto muito pelas coisas ruins que você escreveu a meu respeito. Não vou lhe dar nenhum castigo. Pensar mal da escola ou de mim é um direito seu. Se quiser, posso mandar a carta mesmo assim. Mas vou lhe dar uma oportunidade de escrever outra.

Num misto de desamparo e raiva, teve forças para se aprumar, encarou firme — não mais criança mas dama guerreira:

— Sempre me disseram que as cartas para casa não são abertas. Se a senhora abre e lê é porque mentiam pra gente. Quero mandar assim como está.

Falava na voz sumida da menininha assustada que realmente era; mas a determinação era de rainha.

Sua secreta esperança era que depois daquela insolência fosse finalmente mandada de volta para casa.

A diretora não piscou. Autocontrole e gelo. Meteu a carta de volta no bolso e concordou, tudo bem, será enviada, abriu a porta e apontou para o corredor:

— Agora pode voltar para suas obrigações.

Saí a passo duro, escondendo nos bolsos do uniforme o tremor das mãos.

A boa mulher apenas cumpria seu dever de educar mais uma criança confiada às suas mãos pelo pai que admitira:

— Nós a mimamos demais, talvez porque perdemos um primeiro filhinho, e agora a mãe já não a consegue controlar.

Poucos meses depois, condoído, o pai resolveu me tirar do internato. Nunca esquecerei a sensação de voltar para casa: num trem, cabeça no colo do pai, estava sendo levada de volta ao céu — embora não o tivesse merecido.

Trinta anos mais tarde voltei a esse lugar, que agora me pareceu o que já naqueles antigos tempos deveria ser: uma simpática escola — onde desta vez eu ia dar uma palestra. No instante em que pisei no vestíbulo de gastos losangos pretos e brancos tive de me apoiar na parede, numa vertigem: era como estar sendo de novo abandonada à beira de um rio enquanto a alegria acontecia noutra parte.

Também disso eu falo, narrando uma infância: do desencontro quando os cuidados dos adultos querem forçar uma criança a ser quem não pode ou não quer ser.

Um sábio um dia me disse:

— Família faz muito se não estorva. Ame, vigie de longe, faça com que saibam que você lhes dará sempre colo ou ombro amigo quando precisarem, mas deixe cada criança desabrochar à sua maneira.

•

Eu acabava de regressar do internato. Bati na porta do escritório, entrei. Diante da escrivaninha com tampa de vidro verde-escuro, perguntei:

— Pai, quem era Sócrates?

E — ainda hoje isso me enche de admiração por ele — não senti nenhum receio de que me achasse ridícula, ou dissesse:

"Ora, vá brincar no seu canto, isso não é assunto de criança!"

Lembro seu olhar bondoso, a paciência com que me fez sentar numa das poltronas explicando o que eu queria saber, e me entregou um volume de enciclopédia. Fiquei lendo naquele silêncio bom que tantas vezes se abria ao seu redor quando ele trabalhava ou refletia. Depois que devolvi o pesado livro, tirou de suas prateleiras outro muito menor, e disse:

— Esse se chama *O banquete*. É de Platão, um filósofo grego que foi aluno de Sócrates. Você não vai entender muito bem mas tenho certeza de que vai gostar.

Não pareceu achar que eu fosse incapaz. E devo-lhe o sentimento de minha própria dignidade, tantas coisas ensinadas sem muitas palavras, sem conversas formais, apenas por nesses momentos me aceitar como eu era.

Não faz muito tempo, alguém que fora aluno de meu pai já em seus últimos anos me relatou a simplicidade com que, recebendo-o em casa, vendo-o avaliar a quantidade de livros, o velho mestre disse, abrangendo com um pequeno gesto as quatro paredes ao seu redor:

— Estes são os meus amigos.

Esse amor pelo sossego entre prateleiras de livros, essa alegria intelectual, essa mistura de euforia e tranqüilidade, esta contemplação da vida, herdei dele, mas sem a sua sabedoria. Eu seria irremediavelmente romântica e trapalhona — enredada em tantos sonhos e impelida por tantas ansiedades.

Nessa época escrevi também o primeiro poema que recordo:

"Deus.
Mágica força que governa o mundo,
representas um céu negro e profundo
que envolve em crepe toda a humanidade."

Esqueci o resto. Não guardei nenhum dos muitos escritos e diários da infância e adolescência. Quem escrevera aqueles versos em seu quarto claro e sossegado era uma meninona nada soturna, que gostava de rir, de cantar, de ler, de divagar, e queria ter amigas e amores — mas também gostava daquele vasculhar a sombra às vezes tão bela.

•

Explorar o passado, mesmo reunindo memórias de uma infância boa, é também inventar. Pois esta que recorda não é mais a que vivenciou tudo aquilo; por outro lado, é ainda a mesma sendo duas, são uma sendo muitas. E o real se mescla de tal maneira ao sonhado que não se desgrudam mais.

A distinção entre verdade e invenção não importa muito. Mais do que o gesto, interessa como ele foi recebido. Mais do que a palavra, nos influencia como ela foi ouvida. Mais do que o fato, vale onde, como e quanto ele nos tocou.

E se nada existe a não ser filtrado pela nossa sensibilidade, não é preciso saber o que, neste relato meu, aconteceu ou foi imaginado. Concretude e fantasia me formaram, indo e vindo como as marés que trazem, recolhem e devolvem nossos momentos — ou os guardam lá onde só entra a fulgurante intuição, e o cálculo exato tem de ficar de fora.

Nesse recanto somos reis e réus, exilados senhores, animais alados, somos toda a possível liberdade.

Lá impera o desafio de tramar palavras e trançar significados: afirmando ou insinuando. E armando entrelinhas para que o leitor, à sua maneira, nessa ilha desse mar se redescubra ou reinvente.

E a cada vez reinvente para si mesmo o estranho mundo.

•

4 | *Dentro, o mar*

Uma cavala de flancos intensos,
patas rebeldes sem dono nem domação,
rebentando espumas nesse galope, namora
— mais do que o amor — a morte.

Uma cavala dourada e sensual
com crinas de leite, talvez centaura:
buscando um nome, seguindo um pensamento,
uma audácia e uma ausência.
Levando a memória como a cicatriz de um beijo
no pescoço, à espreita e à espera:

a desabalada cavala, na sua danação
e sua glória.

O mar vai e vem, a onda se aproxima e retorna: minha lembrança passeia por aqueles anos, espia a casa, o quarto, reconhece quem anda no corredor. Sente os aromas e sabores da cozinha, mergulha em livros na biblioteca, observa a família repetida no espelho da sala quando comem e falam ao redor da mesa.

Depois sai para o jardim dos meus encantos, desce o caminho dos meus encontros, senta-se à beira do lago onde os peixes das horas aguardam que eu os apanhe, aceite ou jogue de volta, no trabalho de conferir sentido ao que vai sendo lembrado.

Qual é a história que aqui desejei contar?

De alegria e descoberta, de medo e segredo, de afetos.

De uma criança assistindo ao que se revelava quando alta noite a gente abre olhos assombrados. De uma criança que cantava e dançava no quarto pelo puro êxtase de viver.

Houve uma infância feliz e protegida numa casa com jardim e um lago que nascia de um oculto olho d'água (que eu imaginava com íris de cor, pupila, pálpebras, e um abrir-e-fechar secretíssimo que outros não podiam ver).

Mas havia o embaixo dos móveis e o atrás das portas, havia a possibilidade de tudo não ser o que parecia. Havia sempre uma convocação para o risco e a surpresa. Tudo isso prendeu-se em mim como um quadro há tanto tempo na parede, que se o removerem ficará no reboco outro quadro, desenhado em poeira e teias, silêncio e sobressalto.

Este livro nasce da lembrança das pessoas e das coisas, das minhas conjeturas a respeito de tudo o que circulava entre elas — e do que se desenhava além desse universo.

Quem escreve resgata e recobra, inventa ou transfigura.

Algo pode se perder se eu for minuciosa demais na tentativa de separar a menina da mulher: pois as duas igualmente me sustentam. É preciso andar com cuidado entre essas presenças, as que prosseguem comigo e as que foram se apartando levadas pelo acaso, pela morte, pelo apagamento da memória.

Pois como o vento do mar não sabe que não existe mais o mar — e pode trazer rumor de ondas e odor de maresia a desertos onde tudo isso pairou há milhões de anos —, também o passado não sabe que não existe mais a história vivida.

Nada se perderá do que foi alegria, dor ou sonho. A realidade não existe a não ser através do nosso olhar que a define.

•

Vinha devagar, ousado mas esquivo.

Começava e logo fugia de mim.

No início eu não via nada: só escutava vindo do céu um rufar, um ruflar, um tatalar de vento — e algo viajava nele.

Saí da cama, sentei-me no peitoril, e como os quartos ficavam no andar de cima podia ver ao longe. Abri e fechei portas enquanto todos dormiam, fui até o terraço: algo se preparava como uma celebração, nas lajes do pátio, nos canteiros de rosas, no gramado e na mata escura atrás de tudo isso.

Esfreguei os olhos para ver o que ali sobrevoava.

Depois de tanta espera e tanta busca, ele enfim chegava — para mim, para mim. No ar, no céu, enorme anjo ou demônio dourado, aquele por quem esperei.

Desci as escadas descalça, mas dessa vez vi apenas o rastro de seu vôo baixo sobre o capim vazio.

De novo e de novo eu fui chamada, me invocava aquele que queria ser descrito. Fui seduzida pelo que precisava acontecer e ser narrado em páginas e páginas de um futuro ainda impreciso.

Fui convocada.

Antes mesmo de abrir os olhos, eu sabia:

Está chegando. Hoje vou ser informada, iniciada, hoje vou contemplar o invisível, hoje vou recitar o inenarrável, hoje eu vou.

Mais uma vez saí da cama, nem me vesti porque não havia calor nem frio: havia silêncio e lua, mistura de jardim e maresia, e cheiro de cavalo. Avancei sem temor pelo gramado. Além do que minha vista podia alcançar, eu já enxergava.

Um cavalo cor de mel quer voar no meu sonho — ou no meu jardim.

Sob a lua, por cima da relva imóvel, ele começa a existir: estica o dorso, move os flancos, levanta a cabeça e fareja no ar a presença de uma menina que enfrenta o milagre. Sua crina esvoaça no vento apenas anunciado, porque ainda não é a tempestade.

Aparecem devagar as duas asas. Primeiro somente lhes diviso a linha do encaixe nos flancos — depois se destacam e desabrocham.

Tiritando na sua própria novidade, ele se desenha no vazio. O cavalo dourado brota do meu desejo: narinas nervosas, patas inquietas, é meu próprio coração que explode.

Num impulso forte ele bate as asas, primeiro ainda plantado na terra morna: hesitante.

Então começa a ventar mais, e ele se alça e sobe. O rufar das asas se mistura ao rumor do mar que não se vê, o mar impossível jaz a quilômetros e quilômetros dali, mas rumoreja aqui embaixo com água e conchas.

O vôo sossegado vai por cima dos canteiros, das árvores e dos telhados, e todo o resto pára: nem aves noturnas nem anjos ousam aparecer diante daquela majestade.

Só ele, o meu cavalo-anjo, volteia no céu. Faz rasantes sobre a terra. Em uma curva mais perto de mim, relincha. Sua respiração me comove. Ele suspira e arqueja.

Não vai longe. Não sai do território que estendo para ele com minha ansiedade e minhas alegrias, palavras e silêncios, no tempo sobreposto ao tempo natural.

Depois o vento enfim o leva, barco no mar perdido que há milhões de anos varria talvez este lugar.

Ele é a minha arte: vela, caravela no meu mar de dentro, e é também o fundo silencioso. Esse sentimento tão maior que eu, essa parte de mim que não me pertence, me define tanto.

Se eu lhe desse um nome, seria: Vidaminha.

•

Hoje sou adulta. Mas não se iludam: ainda saio da cama de madrugada para ver um cavalo em revoada no jardim quando venta.

Ele está em cada frase que escrevo.

Nesta mesma claridade de uma lua impossível, aprisionada na tela do meu computador, nesta noite verdadeira ou falsa, nesta hora nenhuma é que as coisas acontecem. Quando desabam paredes e abrem-se portas em tantos corredores dando para outros salões e novas portas, a fantasia senta-se ao pé de mim desembaraçando os cabelos.

O meu é o reino das palavras: aqui tudo pode ser dito — a cada um cabe inventar os significados, interpretar as charadas, preencher os silêncios.

Este é o lugar do impalpável que a muitos incomoda: são os que fecham meus livros sem ler, sacodem a cabeça — e não entenderão.

Porque eu falo para os da minha raça: os que além de racionais são também ilógicos, os bem estabelecidos que amam o imprevisível, os que na margem concreta enxergam mais do que isso e não têm com quem o partilhar.

Por isso atuam nos palcos ou nos computadores ou nos ateliês, ou simplesmente vagam alertas pela sua casa quando os outros ancoraram no sono.

Sentindo-se guerreira ou mendiga, insuficiente ou esplêndida — esta que escreve não sou eu, mas algo que transborda dos meus contornos como o mar transbordava de uma concha naquela mão, na dourada infância.

E minha alma, esse cavalo alado, inocente menina ou feiticeira perversa, fará deste novelo de caos e luz o seu porto de partida, num sopro desenrolando infinitamente o nome que é todos os nomes e é a minha alegria:

Vidaminhavidaminhavidaminha...

PAPEL
CHAMOIS-BULK
alta performance
alcalino

Este livro foi composto na tipologia Electra,
em corpo 10,5/15, e impresso em papel Chamois
Bulk Dunas 90g/m², no Sistema Cameron da
Divisão Gráfica da Distribuidora Record.